Aşk Gidiyorum Demez

DOĞAN KİTAPÇILIK TARAFINDAN YAYIMLANAN DUYGU ASENA KİTAPLARI

Kadının Adı Yok
Aslında Aşk da Yok
Kahramanlar Hep Erkek
Değişen Bir Şey Yok
Aslında Özgürsün
Aynada Aşk Vardı
Paramparça

AŞK GİDİYORUM DEMEZ

Yazan: Duygu Asena

Yayın hakları: © Doğan Egmont Yayıncılık ve Yapımcılık Tic. A.Ş.
Bu eserin bütün hakları saklıdır. Yayınevinden yazılı izin alınmadan kısmen veya
tamamen alıntı yapılamaz, hiçbir şekilde kopya edilemez, çoğaltılamaz ve yayımlanamaz.

1. baskı / mart 2003
18. baskı / ocak 2008 / ISBN 978-975-991-617-6

Kapak tasarımı: DPN Design
Baskı: Şefik Matbaası / Marmara Sanayi Sitesi
M Blok No: 291 İkitelli - İSTANBUL

Doğan Egmont Yayıncılık ve Yapımcılık Tic. A.Ş.
19 Mayıs Cad. Golden Plaza No. 1 Kat 10, 34360 Şişli - İSTANBUL
Tel. (212) 246 52 07 / 542 Faks (212) 246 44 44
www.dogankitap.com.tr / editor@dogankitap.com.tr / satis@dogankitap.com.tr

Aşk Gidiyorum Demez

Duygu Asena

DOĞAN KİTAP

1

İkisi de benim arkadaşım

Güler

Ben onları tanıyorum elbette... Bir rastlantı diyelim isterseniz, dördünü de tanıyorum. Aslında Demet ve Selin'le arkadaşlık ediyorum, ama bilirsiniz kadınlar çabucak öyle bir sırdaş olurlar ki birbirleriyle, Sinan ve Bora hakkında da çok şey öğrendim o yüzden. Zaman zaman ben de onlara kendimle ilgili küçük öyküler aktarıyorum ama çok küçük. Sanırım ben ketum biriyim. Hem niye gencecik kadınlar benim sırlarımı merak etsinler ki, onlar hep kendilerini anlatmanın telaşı içindeler. Ben de hiç sıkılmadan dinliyor da dinliyorum. Zaten onların öyküsünü size aktaracağıma göre, çok fazla şeyi bilmeliyim diye düşünüyorum. Bilmediklerimi de öğrenmeliyim.

Doğru mu yapıyorum bilemiyorum, ama Demet Selin'i tanıdığımı bilmiyor, Selin de Demet'i tanıdığımı. Bilseler rahatsız olurlar gibi geliyor bana. En azından boşu boşuna kuşkulanırlar benden. Duyduklarımı, bildiklerimi birbirlerine aktaracağımı düşünürler. Asla... Bildiğim hiçbir şeyi onlara aktarmıyorum. Böyle yapsam kendimden utanırdım.

Demet'i geçen seçimlerde aday adayı olduğum zaman, bir TV programında tanımıştım. O zaman bir sabah programı sunucusuydu ve biz de birkaç aday adayı kadın, eşantiyonlar gibi, politikadaki yerimiz, neden parlamentoda kadın sayısı çok az falan gibi, yıllardır bitip tükenmek bilmeyen ve hiçbir sonuca ulaşamayan gevezelikleri yapıyorduk. Sonra kokteyller, paneller gibi birkaç yerde daha karşılaştık ve arkadaş olduk. Ben aday bile olamadım, üniversiteye, derslerime geri döndüm, ama Demet amacına ulaştı ve haber spikeri oldu. Henüz başspiker değil, yani hafta içi haberlerini değil, hafta sonu haberlerini okuyor ve halinden memnun görünüyor. Onda bu hırs varken, esas kadın da olur, eminim. Güzel kız, ince, uzun boylu, kocaman gözleri var... Sık sık buluşuyoruz. Selin bankacı... Bu yıl portföy yöneticisi oldu. Banka müşterilerinin eli ayağı sanki, öyle ciddi, öyle güvenilir bir kız ki. En azından benim için öyle. Kiracı parayı hâlâ yatırmamış mı, vadesizdeki paramla dolar mı alsam repoya mı koysam, hazine bonosu şu anda daha mı uygun?.. Üç kuruş paramı bile takip edemiyorum ve hiç anlamıyorum bütün bunlardan. Selin benim için karar veriyor, yapıyor. Fazladan bir para gelse bile bana sormadan o parayı bir yerlere yatırıyor. Ona o kadar güveniyorum ki, paramın yarısını çekip şu kadar var dese kesinlikle inanırım. Çarşıya gittiğim zaman mutlaka ona uğrarım. Çünkü artık arkadaşız onunla. O da karşısında akıllı ve güvenilir bir kadın bulunca, sınırsızca içini dökenlerden. Hiç sansür tanımıyor. Onunla da ayda üç beş kez buluşuyoruz. Ufak tefek, zayıf, cıvıl cıvıl bir kız.

Kız kıza konuşmaları bilirsiniz... Birbirlerini sevdiler mi hiç sınır kalmaz aralarında. Yaş baş, dil sınırı da olmaz. Her şeyi anlatırız birbirimize. Anlatıyor onlar da. O yüzden Demet'in nişanlısı bilgisayar uzmanı Sinan ile Selin'in kocası gazete spor müdürü Bora'yı da çok iyi tanıyorum. Yani neredeyse, anatomik yapılarına kadar biliyorum. Otuzuna gelmemiş kızlar, kırkını geçmiş kadına, önüne geçilmez bir arzuyla anlatıyor da anlatıyorlar. Aramızda on bir-on iki yaş var, ama hem bana çok büyük biriymişim gibi davranıyor hem de çok içten olabiliyorlar. Selin bana Güler Abla diyor, Demet adımla sesleniyor.

Dediğim gibi ben onlara bir şey anlatmıyorum pek. Ne anlatacağım ki zaten? On yıl önceki trafik kazasını mı? Otuz dört yaşındaki kocamın felç olduğunu mu? Tam sekiz yıl ona nasıl baktığımı mı? Bir çocuk gibi mamasını yedirdiğimi, altını temizlediğimi mi? Neyi anlatacağım? "Bırak" demişlerdi bana, "bırak, hayatın kaydı, bırak artık ona ailesi baksın, mahvoldun, bittin, ölmeden mezara girdin..." Şimdi itiraf etmek bile yüreğimi yakıyor, ama ilk başlarda benim de aklımdan geçmiyor değildi bunlar. Hele yatalak halinden bir daha asla kurtulamayacağını duyduğumda, o koca basketçi adamın tüm bakımı bana kaldığında, o çaresizliğini gördüğümde, beyninin çalışmasının da azaldığını, iyice çocuklaştığını anladığımda... "Ondan kurtulayım, annesine vereyim, bakımevine yatırayım, yoksa ben öleceğim, biteceğim" demiştim. Hele hastabakıcının haber bile vermeden aniden çekip gittiği ve ayırdığım paraya yeni birini bulamadığım o günlerde, kakasını temizlediğim o ilk gün. Elime bulaşık eldivenlerimi geçirmiştim...

İçimden geçmişti... Kim suçlayabilirdi ki bir doksan boyunda, doksan beş kilo ağırlığında çocuklaşmış bir erkeği bırakan otuz iki yaşındaki bir kadını? Kim? Belki de suçlayan çıkardı... Ne bileyim ben...

Hem benim amacım size kendimi anlatmak değil... Yemin ederim anlatmayacağım...

2

Ben güzel miyim?

Demet-Sinan

– Neden bu kadar sinirlisin, yüzünden düşen bin parça, dedi Sinan.

– Nihayet fark ettin, dedi Demet.

– Hiçbir şey anlatmıyorsun ki bana.

– Sormuyorsun ki.

Tuvalet masasının önündeki minik tabureye oturdu. Göz kalemini eline aldı, sonra vazgeçti. Nasıl olsa televizyona çıkarken haddinden fazla makyaj yapılıyordu. Yine de her zaman evden çıkmadan önce gözüne incecik bir kalem çeker, dudağına da parlatıcısını sürerdi. Birkaç kez makyajsız çıktığında duyduğu, "A, o siz misiniz, hiç benzemiyorsunuz, ekranda farklı görünüyorsunuz" laflarına sinir olmuştu. "Nasıl yani farklı, daha mı iyi, daha mı çirkin, nasıl?" diye soramamıştı. Ne tuhaftı insanlar. Neden bir haber spikerinin sesiyle, duruşuyla değil de görüntüsüyle ilgileniyorlardı? Aslında fondöteniyle, pudrasıyla, kırmızı rujuyla öyle bir makyaj yapılıyordu ki, makyajsız halini kendisi bile yadırgamaya başlamıştı. Oysa her haliyle güzeldi. Güzel miydi?

Uzun uzun aynaya baktı...

– Ben hâlâ güzel miyim Sinan? dedi.

Sinan kahkahalarla gülmeye başladı.

– Hâlâ da ne demek, otuz yaşındasın, böyle soru sorulur mu? Bir şeylere kızmışsın sen bu sabah, neyi kafana taktın çözemedim.

Israr etti Demet:

– Peki, ben güzel bir kadın mıyım?

Sinan biraz sıkılmış bir tonlamayla:

– Güzelsin, diye yanıtladı.

– Esra mı güzel, ben mi güzelim? diye sordu bu kez.

– Esra da kim? dedi Sinan.

– Hafta arası öğlen haberlerini isminin anonsuyla, logosuyla birlikte okuyan kız.

– Hadi canım sen de, ben öyle boya sarışını, aşırı beyaz kadınlardan hoşlanmam.

– Neden peki benim ismimi kullanmıyorlar da onunkini kullanıyorlar? Diksiyonu mu, sesi mi, neşi benden daha iyi de ona özel birisiymiş gibi haber okutuyorlar?

– Anlaşıldı sinirinin sebebi, boş ver yahu, onunla bununla kırıştırmıştır, müdürün altına yatmıştır, bu işler böyle yürümüyor mu?

Demet tuvalet masasının önünden hışımla kalktı, o güne dek Sinan'a hiç bağırmadığı kadar, avaz avaz bağırmaya başladı:

– Utanmıyor musun pis herifler gibi böyle şeyler söylemeye, utanmıyor musun? Yarın öyle bir görevi bana da verseler, başkaları da böyle mi düşünecek? Hiç sana yakışıyor mu ayılar gibi...

Hızını alamayarak, bir de omzuna yumruk patlattı.

– Ben tanımıyor muyum sanıyorsun o dünyayı. Bilgisayarlarını kurana dek günlerce içlerinde yaşadım onların. O kırıtan kızları, iltifatlar yağdırıp babacan tavırlarla onları mıncıklayan, saçlarını okşayan kart zampara şefleri gözümle gördüm. Ne diyorsun kızım sen? Otuz yaşına geldin öğren artık bunları. Hem ne oluyor sana sabah sabah. Bu yumruk ciddi değil herhalde. Ayağını denk al, benim de sana vurma hakkım doğar sonra.

Bağırmasını artırarak sürdürdü Demet. Çok, ama çok kızmıştı. Özellikle bu dünyada, yani kendi yaşadığı beyaz cam âleminde, bir başarı elde eden kadınlara böyle yaklaşılması onu deli ediyordu. Bu tür ilişkilerle bir şeyler kapan kadınların var olduğunu bilmesine rağmen, içtenlikle sinirleniyordu bu imalara. En azından kendisinin bu taraklarda bezi yoktu, buna emin olması bile yetiyordu tepki göstermesine.

– Ben daha otuz yaşıma gelmedim, bu bir. İki, vurma sözünün şakasını bile yapamazsın bana anlıyor musun, şakasını bile yaptırtmam ben adama.

Gülmeye başladı Sinan:

– E sen vurdun ama.

– O vurmak sayılmaz, hem ben kadınım, ikimizin vurması bir mi, uzatma bu vurma konusunu, bak çok fena olacak!

Sinan da kızmışa benziyordu artık, aceleyle ceketini giydi, kapıya yürüdü:

– Kahve içmeyeceğim, teşekkür ederim, dedi ve hemen ekledi, bu akşam buluşamayız, işim var.

– Her akşam buluşuyor muyuz ki şimdi bunu söylüyorsun!

Sinan kapıyı biraz sert kapattı. Kapının ardından Demet'in cırlayan sesini duydu:

– Hem sana kahve yapmak zorunda da değilim!

Kedi, yumruk yemişe benzeyen suratı, hain hain bakışlarıyla, mırıldanarak Demet'in bacağına sürtündü.

– Çekil şurdan, dedi, bir kedisi bile olmamalı insanın.

Gözünü boyamaya başladı. Boyadı, boyadı, boyadı. Siyah kalem, üzerine açık pembe, daha üzerine koyu pembe, biraz kahverengi... Üstlerinden şöyle bir fırça geçirdi ki tonlar karışsın birbirine. Gözünün içine de iyice siyah bir hat çekti. "Kedi gibi oldun" der hep Sinan. Kedi gibi oldu. Kendini güzel görünce içini huzur kapladı. Derin bir soluk aldı, gevşedi minik taburenin üstünde.

Boy aynasının karşısına geçti, külotunu, tişörtünü çıkarttı. "Bu ayna insanı ince gösteriyor" diye düşündü, gitti, banyodaki aynanın karşısında durdu. Yine kendini ince buldu, beğendi. İki eliyle memelerini tuttu, hafifçe yukarı doğru kaldırdı, bıraktı. Annesinin sözü aklına geldi: "Altına bir kalem koyduğunda düşmezse, sarktı demektir." "Kalemi koyacak yer bile yok" diye mutlu oldu. Uçlarını sıktı, baktı, bunu hep yapıyor, her seferinde de ödü patlıyordu, "Ya elime bir sıvı gelirse, ya kanser olduğumu bir anda anlarsam, diye. Neyse, kontrol sonuçları iyiydi. Tekrar uçlarını sıktı, bu kez hoşuna gitti. Yine yaptı çok hoşuna gitti. Kendisiyle göz göze geldi, bir sır paylaşıyormuş gibi gizemli güldü. "Sinan küçük göğüs sevmiyor herhalde, yoksa erkekler kadın memesine çok meraklıdır" dedi kendi kendine. Sinan'dan öncekiyle, bir keresinde sadece meme uçları öpülerek doyuma ulaştığını anımsadı. Ama ne öpülmek... Ne öpmekti o. O adamla yalnızca sevişmek için bile birlikte olunabilirdi. Bir meslekti sanki adam için sevişmek. Bir görev, bir misyon, bir tören... Daha ilk seferinde anlamıştı Demet ne istiyor, neden hoşlanıyor, kendini onu mutlu etmeye adamıştı sanki... Dizkapağından zevk alabilir mi insan? Öyle bir dokunurdu ki dizlerine, Demet'in içi giderdi.

Yalancılığına dayanamayıp, çekip gitmişti bir gün Demet. Ve adam, "Beni her istediğinde arayabilirsin" demişti. İstiyordu işte... Şimdi, hemen... Canı sevişmek istiyordu. Son kez okşadı memelerini... "Yapsam mı acaba" diye düşündü. Üşendi.

3

Neden evlenmiyorsun?

Demet

Ablam kocasıyla çok mutlu, birbirlerini gerçekten çok seviyorlar, ama geçen gün, on beş yıldır bir kez bile cinsel doyuma ulaşmadığını söyledi bana. Yani evlendiğinden bu yana... Hiç, ama hiç olmamış. Bir seferinde bir şeyler olmuş sanki. Eniştem sertliğini uzun süre koruyup, inatla içinde gidip geldiğinde, nefesi kesilmiş, oralarında hoş bir şeyler hissetmiş, adamı kalçalarından bastırmış, hiç gitmesin istemiş, ama bir daha bu kadarını bile yaşayamayınca, anlayamamış o duydukları gerçek bir doyum mu? yoksa başka bir şey mi?

"Oralarında, vajinanda yani, hızlı hızlı ritmik kasılmalar hissettin mi, omuzlarından itibaren sarsıldın mı, klitorisin böyle şey oldu mu, nasıl desem, hani üşüyünce birden şöyle bir titrersin ya, seyirme gibi, öyle ani, güçlü bir şeyler hissettin mi, için vıcık vıcık ıslandı mı, bitince de gözlerin baygınlaşıp kocana sarılmak istedin mi?"

Bu peş peşe sorularımdan hem utandı hem meraklandı, ama net bir yanıt veremedi. "Hepsi bir arada olmamıştı sanırım" dedi. "Abla nasıl olur, nasıl olur, bir insan orgazm olmadan bir erkekle on beş yıl nasıl yaşar? Hiç düşünmüyor musun, nedenlerini konuşmuyor musun, o ne diyor bu duruma?" diyordum durmadan, neredeyse ağlayacaktım. Kızdı o da, "Abartma canım, ne var, işte sapasağlam ayaktayım. Gayet mutluyum." "Kendi kendine de olamıyor musun?" diye üsteledim. Utanarak, hatta biraz da yüzü pembeleşerek, "O zaman her şey tamam" dedi. "E sorun ne peki, eniştemde eksik olan ne?" diye sordum. Sevdiği adamın kusurunu açıklamak istemedi önce, şöyle bir dudaklarını gerdi, yaramaz çocuk gibi sağa sola baktı, "Biraz çabuk geliyor galiba" dedi. "Galiba diyorsun, çünkü başka erkek tanımıyorsun, hiçbir şey bilmiyorsun, erkek yatakta nasıl iyi olur haberin yok, boşalmamak için kendini tutan bir erkeği görmemişsin, o da angut bir adam olmasa, başka bir şekilde de seni doyuma ulaştırmayı becerebilirdi. Marifet miydi önüne ilk çıkan yakışıklıyla evlenmek!" dedim ona... Üzmüştüm o gün ablamı...

"Ne yapalım Demet" dedi bana, "sen bile hayran olmamış mıydın ilk tanıştığımızda, ünlü playboy değil miydi o, etrafı kız kaynamıyor muydu, elimden kaçırmamak için hemen evlenmek istediğimde, siz de onaylamamış mıydınız. Yabancı gibi konuşuyorsun. Sanki bilmiyorsun." "Evet ama bu durumu bilmiyordum, bilseydim hemen boşatırdım seni ondan, keşke bir süre cinselliği yaşayıp sonra evlenseydin. Ben olsam buna dayanamam, hemen boşanırım, cinsellikte mutluluk ne kadar önemli anlamıyor musun" dediğimde, dalgın dalgın, "İlk başta böyle değildi sanki, hatırlamıyorum aslında, saçmalama Allah aşkına, çocuklar ne olacak, soranlara orgazm olamadığım için boşandım mı diyeceğim. Kaç kadın orgazm olabiliyor acaba!" diye tepki gösterdi. Ben de orgazm olamadığı için kocasından boşanmasını istediğim ablama son darbeyi vurdum, "Zaten o da seninle çocuk yapmak için evlenmiş belli. Hâlâ playboy unvanı sürüyor, çünkü bir efsane gibi." Ve anlayamamıştım, mutlu mu, mutsuz mu; bu duruma aldırıyor mu, aldırmıyor mu? Yanında yakışıklı, herkesin çapkın bildiği bir erkekle dolaşıyor, kadınlar onu kıskanıyor, hatta kocasına kur bile yapıyorlar, ama o adam seninle sevişmeye başladıktan iki dakika sonra boşalıyor. Ve hiçbir şey olmamış gibi sırtını dönüp ya da sarılıp –ne fark eder ki– uyuyor. Kara mizah... Felaket...

On beş yıl boyunca doyuma ulaşamadığı sırrını benden saklamayı başarmış ablam, "Peki sen" dedi bana... "Benim hiçbir problemim yok" dedim. "Neden evlenmiyorsun o zaman Sinan'la?" diye sordu pat diye sanki bilmiyormuş gibi... "Bilmiyor musun?" dedim. "Yoo, bilmiyorum, neden?" dedi. Neden... Neden... Bu kadar sıradan bir soru karşısında, karşıdan karşıya geçerken, önce sağa, sonra sola, sonra tekrar sağa baktığım halde, hızla gelen bir otomobille burun buruna gelmiş kadar şaşırmıştım.

"Acelemiz yok, evleneceğiz, işleri biraz daha yoluna girsin..."

"Borçlarını ödedi mi?" diye sordu ablam. "Ödemeye başladı" dedim. Gelecek soruyu tahmin ediyor, geriliyordum, "Sana olan borçlarını ödedi mi peki?.."

Hani hiç düşünmek istemediğin şeyleri gerçekten düşünmediğini ve aldırmadığını sanırsın da, ya densiz biri yüzünden ya da okuduğun şeydeki hiç ilgisiz satır aralarında hatırlarsın ya... İşte ruhsuz ablam, intikamını alıyordu benden, zararsız bir intikam, bir çeşit rövanş. "Herhalde benimkileri sona ayırmıştır yakınız diye, bu mantıklı değil mi sence" dedim. Aslında memnun da olmuştum bu borç konusunun açıldığına, çünkü orgazm konusu güme gitmişti böylece. Belki de kendime bile itiraf edemediğim, kendimi kandırdığım konu...

Yoo! Aslında seks hayatım hiç fena değil... Her seferinde olmuyor tabiî, canım kimin oluyor ki? Kimi zaman kafam bir şeye takık olduğunda, imkânı yok sevişmeye konsantre olmama... O, bunun için uğraşıyor doğrusu, ama mümkün değil. O zaman onu üzmemek için olmuşum gibi yapıyorum. Nefesimi sıklaştırıp birkaç kez inlediğimde hemen boşalıyor o anda. Acaba buna inanıyorlar mı, yoksa işlerine geliyor da inanmış gibi mi davranıyorlar?

Onun için seks, ağız ve cinsel organ ikilisinin birbirine teması, başka bir şey bilmiyor gibi, bu da bazen sıkıcı olabiliyor doğrusu. Asla bir şikâyetim yok, asla... Aslında bir de... Çok terlemediği zamanlar daha hoşuma gidiyor... Ama yüzüme gözüme şıpır şıpır teri aktığında hiç hoşuma gitmiyor. Onu doktora bile yolladım bu yüzden, neyse hiçbir şeyi yokmuş. Evlenmeme nedenimiz Sinan'ın sevişirken çok terliyor olması değil elbette. Vakit bulamıyoruz, hepsi bu. Böyle demiştim ablama. Sinan hiç oralı olmuyor dememiştim.

4

Düşman gibi vurdu

Sinan

Offf... İnanamıyorum yahu. Kahve lafını ettim diye kızıyor. Sanki bugüne dek ondan hizmet beklemişim gibi. Laf olsun diye, ortalığı yumuşatmak için söylenmiş bir şey. Nasıl bağırdı arkamdan ciyak ciyak. Omzuma vuruyor, sonra da vurmanın şakasını bile yapamam diyor. Eşitlik eşitlik diye inim inim inliyor, ama vurma eşitliğini tanımıyor. Kadınmış. O zaman kadınlar vurabilir, bıçaklayabilir, öldürebilir. Çünkü onların bedensel güçleri yok, erkekler çok güçlü, onlar yapmamalı, ama kadınlar vurabilir. İşe bak. Zaten vurmak gibi bir niyetimiz olamaz da, bari o da yapmasın, nasıl da düşman gibi vurdu omzuma, acıttı da.

Neden bu sabah bu kadar hırçındı acaba? Dün gece ne oldu, bir yaramazlık var mıydı? Yoo! Yemek yedik, sohbet ettik, yattık... İyiydi yani.

O Esra'ya takmış kafayı. Ayrıca Esra da bir fıstık hani. Böyle söyleseydim ne yapardı acaba? Düşünemiyorum bile... Esra Demet'ten de güzel doğrusu. Ama seksapeli yok. Bazı kadınlar kaş göz hokka gibi, çok güzeller, ama insanda hiçbir duygu uyandırmıyorlar. Çırılçıplak yatağıma girse, tık olmaz gibi geliyor, ama bazıları da seks tütüyor sanki, çok güzel olmaları şart değil...

"Esra senden güzel, ama sen daha seksisin" deseydim Demet'e... Kesin bıçaklanmıştım. O göz kalemiyle gözümü oyardı vallahi. Aman aman... Hep susacaksın. Bunu öğreneli beri her şey tıkırında zaten. Huzur içinde yaşıyoruz.

E ama ben de onu üzecek hiçbir şey yapmıyorum doğrusu. Durup dururken, "Esra güzel bir kız" demenin ne anlamı var?

5

O şık bir erkek

Selin-Bora

Bora, yatak odasında söyleniyordu:

– Şu televizyonun sesini kıssana biraz, sabah sabah ne bu böyle, borsada mı oynuyorsun, bu da yeni moda çıktı.

– Yatak odasına televizyon koymayı sen istedin.

– Ben istedim, ama gece uyku getirsin diye istedim, sabah borsa haberlerini dinlemek için değil.

– Ben de gece değil, sabah izlemekten hoşlanıyorum, hem ben bankacıyım, borsa haberlerini dinlememden daha doğal ne olabilir!

– Bankacısın sen, borsacı değil. Niye böyle düşüyor çıkıyor borsa en küçük bir olay sonunda, anlat bakalım anlatabilirsen. O avaz avaz bağıran adamlar ne diye bağırıyor bir anlayabilsem. Sen de anlamıyorsundur...

– Anlıyorum tabiî, ama sana nasıl, hangi dille anlatabileceğimi bilemiyorum, senin anlayabileceğin bir dil bulamıyorum yani. Aynı benim ofsaytı anlayamadığım gibi, senin de enflasyonu bile anlayabileceğini sanmıyorum. Boş ver, herkes her şeyi bilmek zorunda değil zaten.

Selin ile Bora tartışmıyorlardı aslında. Güne başlamanın rutin konuşmalarıydı bunlar, üstelik hiç konuşmamaktan da iyiydi. Ne kadar tartışırlarsa tartışsınlar bir gerginlik olmuyordu çünkü. Her şeyleri gibi tartışmaları da olağanlaşmıştı.

Selin yatağın örtüsünü şöyle bir havalandırdığında dün geceden kalan buruşmuş, sertleşmiş kâğıdı gördü. Aceleyle aldı, banyoya götürdü, ya Emine Hanım görseydi yatağı yaparken... Çöpe atmadan önce kokladı. Bunu hep yapıyordu. Eline ne alsa önce kokluyordu. O kurumuş kâğıtta, hiçbir kokuya benzemeyen sperm kokusunu aldı burnu, kâğıdı hemen attı. Peynir kokusuna benziyor muydu biraz? Hani şu Fransız peynirinin kokusuna. Benziyordu vallahi. Canı o peynirden istedi. Her şeyi koklama huyu için psikiyatra gitmeyi bile düşünmüştü bir ara. Sonra bunun hiç kimseye bir zararı olmadığına –tabiî kendine de– karar verdi ve vazgeçti. Kokluyordu işte. Belki de yaşamını koku duyusu yönlendiriyordu. Sebebini bilmediği halde hiç sevmediği, hatta durup dururken nefret ettiği insanlar vardı, belki onların kokularından hoşlanmadığı için bu denli nefret ediyordu. Birbirleriyle her alanda eşit oldukları halde, kendi aralarında gruplaşıp ötekilerden nefret eden bir sürü insan vardı. Neden bu insanlar kendi grubundakileri seviyordu da, gruplar arası kimse kimseden hoşlanmıyordu? Belki de benzer kokulara sahiplerdi ve kendilerine benzemeyen kokulardan hazzetmiyorlardı.

Bora'yla hâlâ keyifle sevişebiliyorsa eğer, kokusunu çok sevdiği içindi belki. Şu ten uyumu dedikleri şey yalnızca kokuyla ilgili olabilirdi. Uyku kokusunu seviyordu onun. Annesinin uyku kokusuna da bayılırdı çocukken, hâlâ bayılıyor aslında. Bora evde değilken, oğlanı alıp annesine gidiyor hemen. Annesi, minik bebeği ve Selin, üçü aynı yatakta yatıyor, çok mutlu oluyorlar. Uyku kokusu güzel onların. Bora, "Büyü artık" diyor ona, "koskoca kadın annesinin koynunda yatar mı?" Selin ise büyümekten nefret ediyor. Bebeğinin belki de tek olumsuz yönü, sık sık ona anne olduğunu, yani ayrı bir kadın kategorisine geçtiğini hatırlatıyor olması.

– O ceketin içine şu mavi gömleği giy, koyu bejle mavi gömlek çok güzel duruyor, dedi Selin.

Hiç itiraz etmeden söyleneni yaptı Bora da. İtiraz etmiyordu, çünkü evlendiğinden bu yana giyimindeki olumlu değişiklikleri görüyordu. Onun şıklığı meşhurdu ve bunu kesinlikle Selin'e borçluydu. Yoksa eskiden o da, üzerine ne bulduysa geçiren erkeklerdendi, annesinin en önem verdiği şey temizlikti, temiz olsun yırtık sökük olmasın yeter. Bora bunu asla kabul etmiyordu, ama Selin'in iddiasına göre tanıştıklarında beyaz çorap bile giyiyordu... Şimdi ise, çorabından kravatına resmen şık bir erkekti ve şık oluşu da hem mesleğinde hem özel yaşamında işine yarıyordu. Selin kocasını şıklaştırıyor ve hoş bir erkek olarak atıyordu ortalığa.

– Maç ne zamandı? dedi Selin.

– Salı günü, dedi Bora.

– Gidiyor musun? dedi Selin.

– Gidiyorum tabiî, dedi Bora.

– Real Madrid mi, Barcelona mı, hangisiydi?

– Barcelona.

– Benim Ocean'ımı unutma, sabunu, parfümü, vücut losyonu, nesini bulursan artık...

Çok kızıyordu Selin doğal ürünler satan o zincirin Türkiye'de bulunmamasına... Dünyanın her yerinde mağazalar açmışlardı, ama bir tek burada yoktu. Ocean'ı kullanmak ise asla vazgeçemeyeceği bir şeydi. Çünkü kimsede yoktu, değişikti, herkes fark ediyor, kokusunun adını soruyordu. Hiç bilinmeyen, pahalı olmayan, kimsenin kullanmadığı bir markayı söylemekten garip bir gurur duyuyordu o da. Bora da her gittiği yerde, mutlaka o dükkânı buluyor, kutsal bir görev gibi yerine getiriyordu Selin'in siparişlerini. Zaten grupta mutlaka bir kadın oluyordu, o da o kadından yardım istiyor, birlikte alışveriş ediyorlardı. Kadınlar da nedense bayılıyorlardı bir erkeğe yardım etmeye... Evli bir erkeğe karısının yokluğunu aratmamayı bir borç biliyorlardı sanki kendilerine.

Her alışveriş yardımı, küçük flörtlere dönüşüyordu. Zaten artık erkeğin evli ya da bekâr olması fark etmiyordu kadınlar için. Kendilerine yeni bir slogan bulmuşlardı sanki; "Evli olması onun sorunu." Her yer kadın kaynıyordu. Lambalar sönüp de her yer kararınca ortalığa çıkan böcekler gibi, onlar da ortalığa çıkmışlardı birdenbire, her yer vıcır vıcır kadın doluydu. Alışverişte, yemekte, yatakta, iş hayatında her işe yarayan bir kadın kolayca bulunuyordu. Ama dikkatli olmak gerekiyordu elbette. Bir keresinde kadının biri mavi bir masaj eldiveni bulmuş, bunu da almasını önermişti karısına. Bir melek gibi koşuşuyordu dükkânın içinde oradan oraya Bora'nın karısını mutlu etmesi için.

Almamıştı tabiî Bora. Alsaydı dırdır çıkardı evde. Bunu nerden buldun, kim söyledi, sen kendi kendine böyle bir şeyi almayı akıl edemezsin, demek kadınlarla geziyorsun... Bora asla böyle bir hata yapmazdı, yapmadığı için de evde bu konuda pek tatsızlık çıkmıyordu.

– Ben çıkıyorum, dedi Selin.

– Güle güle, dedi Bora, Selin'i yanağından öptü.

Selin yan odaya geçti çıkmadan önce, Murat Can mışıl mışıl uyuyordu. Bakıcısı Esma da yan odada uyuyor olabilirdi, ama ikisinin odasını ayırdığı için çok mutluydu, bu kesinlikle daha sağlıklıydı. İki yıldır her evden çıkışında içi burkuluyordu... Çocuğunu bırakıp çalışmaya gittiği için, asla suç işlemediğini bilmesine karşın, her sabah, onu her öptüğünde yüreğinde derin bir sızı oluyor, bankanın kapısından içeri girene dek sürüyordu bu ağır suçluluk duygusu. Ama yokmuş gibi davranıyordu, suçluluk duymuyormuş gibi yani.

Selin sokak kapısında Emine Hanım'la karşılaştı. Emine Hanım heyecanla kolundan yakaladı Selin'i:

– Selin Hanımcım, Bora Bey'e söyleyemem, ama siz o kadar başkasınız ki, sizin gibi bir insan gibi bir insan daha yok. Şimdi önümüzdeki haftanın iki gününün parasını peşin verebilir misiniz?

– Neden Emine Hanım, geçen ay da peşin para almıştın?

– Kocamın cep telefonu faturası geldi, biraz da fazla geldi, ödeyemiyor, kapatacaklar telefonu, onu yatıracağım.

– Senin kocan çalışmıyor, evde oturup iş bekliyor tembel tembel, cep telefonu da olmayıversin Emine, hem cep telefonu sana daha çok lazım, o zaman sen kullan. Şaşkın şaşkın baktı Emine Selin'in suratına.

– Ben nasıl kullanayım telefonu Selin Hanım, zaten o da iş bekliyor telefondan.

"İş bekliyormuş..." Selin sıkıldı. Bu konuşmaları o kadar çok yapmıştı ki, sustu.

– Peki al Emine Hanım, al bu parayı yatır, kocanın telefonu kapanmasın, o evde otursun, sen de el kapılarında çalış. Nedense hepinizin ortak kaderi bu, dedi.

Yine dayanamamış, birkaç söz söylemişti işte. Emine Hanım içeri girdi, Selin otoparka doğru yürüdü. Bora tuvalete girmişti, özenle klozet kapağını kaldırdı. Evlendiğinde ilk öğrendiği şey bu olmuştu. İşerken klozeti kaldıracaksın, işin bittiğindeyse mutlaka indireceksin. Yoksa indirilmemiş bir klozet kapağı evde büyük bir faciaya neden olabilir ve saatlerce kadın-erkek eşitliği nutukları dinlemene yol açabilir. Kapağı indirdi, penisinin ucunu sıktı bıraktı, baktı... Anormal bir durum yoktu. Neyse yoktu. Hâlâ arada bir dikkatsiz davranabiliyordu.

6

Yatak odasında televizyon

Selin

Sonunda yatak odasına da bir televizyon koydurdu. Böyle çok güzel uyunuyormuş. Hem ben salondaki kanepede, televizyonun karşısında uyuklamasından hoşlanmıyormuşum ya, işte artık yatakta uyuyacakmış, bu da çok normalmiş. Mantığa bakın. Benim uykum çok hafif, hele Murat Can'dan sonra iyice hafifledi. Bakıcı her gece kalmıyor, ancak dışarı çıkarsak çağırıyoruz. Bir de yeni bir şey çıkmış, televizyonu istediği bir saate ayarlayıp kuruyor, o saatte pat diye kapanıyor ekran. Mesela yarım saat sonra...

Ben ne oluyorum peki? O, spor programı hariç, ne olursa olsun beş dakika sonra uyuyor. Televizyon kapanmadığı için ben uyuyamıyorum. Kalkıp kapatmaya üşeniyorum. Üstelik programa takılıp kalıyor, izlemeye başlıyorum, mesela bir film var, filme kendimi kaptırıyorum, ama yarım saat sonra, tam ortasında küt... kapanıyor ekran. Benim uykum kaçmış. Açmaya üşeniyorum, kumanda onun tarafında oluyor, karanlıkta bulamıyorum, kalkıp açamıyorum, off yani. O mışıl mışıl uyuyor. Nasıl uyuyorlar bunlar böyle anlayamıyorum. İlle yemek yiyecekler, ille uyuyacaklar. Tamam bunlar doğal ihtiyaçlar, ama hiçbir şey uyumalarını ve yemelerini engelleyemiyor. Seviştikten sonra bile uyuyabiliyorlar. Bir kere bunu ona da söylemiştim, "E ne var bunda" demişti, "seviştikten sonra ne yapmamız gerekiyor?"

On sekiz yaşlarındayken annem babamla tatile gitmiştik. Otelin odalarının duvarları çok inceydi, elektrik düğmesinin çıt sesi bile duyuluyordu. Tam uykuya dalacakken, yan odadan sevişme sesleri gelmeye başladı. Yatağımda doğruldum, dinlemeye başladım. Doğrulmasam da her şey apaçık duyuluyordu, ama etkilenip kalktım tabiî, ben daha hiç kimseyle sevişmemiştim, öpüşmüştüm yalnızca. İniltiler, nefes sesleri, adamın birkaç erotik konuşması, boğuk bir sesle, "İyi mi, böyle mi?" diye sorular. Bir süre sonra kadın "Ah" diye inledi, hemen ardından da adam, canı acıyormuş gibi çok yüksek sesle "Oh" diye bağırdı... Çok kısa bir sessizlik oldu. Bitmişti. Hemen sonra odada bir hareketlenme başladı, su sesleri falan duyuldu ve birkaç dakika sonra kadın adama şöyle seslendi, "Orhan, keşke kapıcıya anahtar bıraksaydık, o salonun boyasını başlatabilirdi." Adam da kadına şöyle cevap vermişti, "O ne anlar canım evin boyasından, biz gidince hallederiz." Sonra kadın, "Boya kokusu gitmiş olurdu biz dönene kadar, ne var bunda kapıcının anlamayacağı..." Bu muhabbet sürdü gitti.

O kadar şaşırmıştım ki. Ben sanıyordum ki sevişmek muhteşem bir olaydır. Öncesi de sonrası da çok özeldir. Hele bittikten sonra insanlar vecd içinde birbirlerine sarılarak yatarlar yatakta. Bir süre konuşamazlar bile, öyle bir yoğunlaşmışlardır ki sevişmelerine. Kapıcı, boyacı, hiçbir şey akıllarına bile gelmez, bu dünyadan kopmuş gitmişlerdir. Ve o romantizm sabaha dek hiç bozulmaz. Oysa onlar yemek yer gibi seks yapmış, yutkunur gibi doyuma ulaşmış, bir saniye sonra da yaşadıklarını unutmuşlardı. Çok fena olmuştum, çok üzülmüştüm.

Aslında şimdi anlıyorum, onlar pek çok insana göre iyi bir çifti. Birbirleriyle sevişiyor, doyuma da ulaşabiliyorlardı. Sonra da hemen sevgili kutsal evleri hakkında konuşmaya geçebiliyorlardı.

Bir gün seviştikten sonra Bora'ya annemin göğsünde bir kist çıktığını, bundan endişe duyduğumu söyledim, seviştikten hemen sonra, bir kâğıtla bacak aralarımı temizlediğim bir anda... O da, "Üzülme yoktur bir şey" falan diyordu. O an, o çifti anımsadım. Biz de onlar gibiydik işte, uyumlu ve iyi bir çift.

Bora canı sevişmek istediği an beni okşamaya başlar, ne yapması gerektiğini bilir, hemen onları yapar, beni istekli hale getirir... hemen... Ben de hiç uzatmadan hazır olurum sevişmeye... hemen... Çünkü istediklerimi ve istemediklerimi bilir ve sadece hoşlandığım şeyleri yapar, bencil değildir yani, ben de hemen doyuma ulaşırım, ardından o... Sonra ya konuşuruz ya uyuruz... O uyur.

Ben düşünüp dururum saçma sapan şeyleri. Bir türlü uykuya dalamam. Birbiri ardına gelen düşünceleri engelleyemem. Bora ise rüya görmeye bile başlamıştır ben düşünürken. Şimdi başımıza bu televizyon belası çıktı işte. Ve de en kötüsü seviştikten sonra annemin göğsündeki kistten söz edebildiğimi fark ettim... Düşündükçe buna üzüldüm, ama yapacak fazla bir şey yok sanırım. Bazen diyorum ki sen dertsiz başına dert mi arıyorsun Selin?

7

Kızlar odaya geliyor!
Bora

Ne yatarsın hiç tanımadığın kadınla kudurmuş gibi. Zaten herkes kudurmuş gibi. Hele Rusya'ya gidince. Söz vermiştim kendime, böyle bir gecelik, paralı falan... Riskli ilişkiler bunlar, yapmayacaktım. Ama Moskova, işi bozdu. Herkes dört bir yana dağıldı. Ben istemiyorum dediğimde amma da şaşırdılar, şaka sandılar, kahkahalar attılar. Oysa yapmıyordum uzun süredir, demek bu kadar güzel kadının ortada cirit attığı bir yere gitmemişiz epeydir. Maçlar hep Avrupa'daydı, orada da özel olarak karar vereceksin, paralılar için bile bir emek harcayacaksın, araştıracaksın, belirli barlara gideceksin, kadını seçeceksin... Yahu Rusya acayip bir yer. Kadının gözünün içine bakman yeterli. Hemen geliyor yanına, hem de çok ucuz. O kadar güzel kadınlar bu kadar ucuz... Sen istemesen, uyurken kadın odana geliyor bir arzunuz var mı diye. Hayır mı diyeceksin? Aslında Erol'dan kuşkulanıyorum ben, inkâr ediyor ama, mutlaka kadını odama o yolladı. "Bir arzunuz var mı efendim?" Ne güzel şeydi öyle. O nasıl duru bir ten, o ne güzel gözler... O nasıl diri bir vücut. "On sekiz yaşındayım" dedi ama umarım öyledir. "Hayır kızım, hiçbir arzum yok, hadi güle güle." Çok komik. Böyle mi deseydim? Buna hayır diyebilecek bir salak var mıdır acaba? Bu durumda imkânsız. Kapında güzeller güzeli bir kız, beş kuruşa her şeyi yapmaya razı ve sen hayır diyeceksin. Gülerler adama, adını ibneye çıkarırlar kesin.

Tamam söz vermiştim kendime, ne sözü yemin bile etmiştim ama, öbür dünyada bile anlayış gösterirler adama bu durumda. Belki de kadına hayır diyen erkeği zebaniler cehenneme atıyorlardır. Kaç yıl oldu bel soğukluğu geçireli... Çok olmadı. Neyse iyi atlatmıştım o günleri, Selin hamileydi çünkü. O zaman yemin etmiştim zaten. İyi ki kızın yanında prezervatif varmış. Kız öylece kapıda dururken insanın gözü hiçbir şey görmüyor, ne olursa olsun yapacaksın. Kıza ayıp olurdu her şeyden önce. Korunmama rağmen yine de korktum sonra bir şey olacak diye, gerçi on beş gün geçti ama, ne olur ne olmaz, bu saatten sonra bir de hastalık kapmayalım.

Yok, bundan sonra tövbe, paralı seks yok. Rusya hariç. Orası bir tuhaf, ortalık seks kokuyor sanki. Bir erkekler cenneti. Kızlar sana sanki dünyanın en yakışıklı erkeğiymişsin gibi davranıyor ve de çok güzeller yahu. Otelin barının halini unutamıyorum. Erkekler nedense ter içinde sırta sırta bar taburelerine tünemişler, her birinin bacakları arasında bir sarışın fıstık... Okşuyorlar, öpüyorlar, iltifatlar ediyorlar. Milletin gözü kaymış... Otelin koridorlarında sabaha kadar topuk sesleri, odadan odaya gidip gelmeler, hiç bitmeyen sifon ve su sesleri. İnlemeler, gülüşmeler. Yan odada öyle bağıran adam bizim şişko Teoman'dı galiba. Hem de Türkçe konuşuyordu kızla... "Aşağı gel, orda dur, hadi durma" diye durmadan komut veriyordu kıza. Altmışına gelmiş adam, bir gün ölüverecek bir kızın üzerinde, hiç uslanmıyor.

Neyse umarım uzun süre Rusya'da maç olmaz... Yoksa yandık yahu...

8

Benden nasıl hoşlandı?

Güler

İşte böyle... Bilemiyorum bu kadarcık konuşmalardan, düşüncelerden onları yeterince tanıyabildiniz mi? Aslında kim kimi yeterince tanıyabilir ki? Aslında insanın kendini bile iyice tanıdığından kuşkuluyum. Örneğin ben... Akıllı olduğumu biliyorum. Kırk yaşını geçtim; ama çok genç kafalıyım. Gözlem yeteneğim var, insanları suçlamadan, yargılamadan anlayabiliyorum. Engin bir hoşgörüye sahibim. Bunlar tamam da, şu anda, evim, dersler, arkadaşlar, kitaplarım dışında hiçbir şeyi aramadığım, özlemediğim doğru mu acaba? Kendimi "iyi" sanmam gerçek mi yani? Hiç düşünmek bile istemiyorum bunu.

Yılmaz'la çok güzel bir beraberliğimiz vardı. O iriyarı yakışıklı adam nasıl benden hoşlanmıştı, nasıl âşık olmuştu hâlâ anlayabilmiş değilim. Tamam, o zaman daha bakımlı daha... güzeldim diyemeyeceğim, akıllıyım dememin en önemli nedeni bu zaten, güzel olmadığımı biliyorum, hele şimdi, dilim varmıyor ama, çirkin bile sayılabilirim. Kiloluyum, özellikle kalçalarım iyice genişledi. Saçlarım kıvırcık, üstelik tutam tutam beyazladı. Boyatmıyorum. Elli yaşında gibi duruyorum buna eminim. Gözlerim güzel, iri ve ela, ama gözlük takıyorum. İncecik tel çerçeveli bir gözlük. Yanağımda leblebi büyüklüğünde bir ben var, hafifçe kabarık. Yoo kesinlikle iğrenç görünmüyor, öyle olsa aldırırdım.

Yılmaz'la tanıştığımızda daha zayıftım, iyice zayıftım, saçımda beyazlar da yoktu, tek fark bu. Belki biraz daha canlıydım, neşeli, hareketli, çok konuşkan, çok komik bir kız. Yirmi beş yaşındaydım, o da yirmi yedi. Tam yedi yıl hiç durmadan konuştuk. Bir restorana gittiğimiz zaman, hiç konuşmadan yemeklerini yiyen çiftleri inceler gülerdik. Hatta yan masada oturanları dinlerdik çaktırmadan. Sağa sola tavana bakarlar, zorla, sohbet edecek bir şeyler ararlar, ancak yemekler hakkında konuşacak bir şey bulabilirlerdi. "Seninki nasıl? Tadına bakmak ister misin? Sosu çok güzel olmuş. Sen sufle söyle ben sakızlı muhallebi, bölüşelim." Konuşacakları şey yoksa ne diye geliyorlardı böyle pahalı bir restorana derdik. Otur evinde ye yemeğini, parana yazık. O çiftleri incelediğimiz süre içindeki sessizliğimiz bile, bize zaman kaybı gibi gelirdi, kıkır kıkır gülerdik sonra.

Yılmaz canı istediği her kadını tavlayacak nitelikte bir erkekti, ama beni sevdi işte. Uzaktan gelirken ona bakar, sanki haksızlık ettiğimi düşünürdüm. Güzel kadınların bile kendilerine tam güvenleri yokken, benim böyle oluşumda bir gariplik yok sanırım. Önce akıl diyen erkekler de varmış demek ki, o da bana rastladı işte. Bakmazdı bile o çıtır denilenlere, gülmesi tutardı birbirine benzeyen, sarışınları görünce.

Benim kendime güvensizliğimi anlamıştı elbette. Bir gün yataktan kalkmadan, deli gibi çarşafların arasındaki geceliğimi aradığımı görünce, "Giymene gerek yok, kalk ve yürü, ben seni tanıyorum, beğeniyorum, seviyorum. Sevgiyle dik memeli, gergin karınlı, güzel kalçalı, uzun bacaklı olmanın ne ilgisi olabilir? Sadece çok güzeller mi sevilir? Üstelik sen benim için çok güzelsin" demişti. Bundan daha şahane ne olabilir? Söylediklerinin ne kadar gerçek olduğunu bilemiyordum, çünkü ben yakışıklı birini seviyordum. Eğer o, koca göbekli, gözlüklü, kısa boylu bir erkek olsaydı ne olurdu, doğrusu bunu hiç bilemeyeceğim. İşte bunun için içimde hep bir haksızlık ediyorum duygusu yaşatıyordum.

Eğer o kaza olmasaydı, tam on yedi yıldır birlikte yaşıyor olacaktık. Bugün onunla bir restorana gitseydik, biz de yalnızca yemekler hakkında konuşan çiftlerden biri mi olurduk acaba? Bunu hiç bilemeyeceğim ve her zaman, "Asla öyle olmazdık" diye düşüneceğim. Aşkların hiç bitmemesi için, bir gün ansızın, tam ortasından kesip atmak mı gerekiyor acaba?

Ben size Demet ile Selin'den söz edecektim. Ya da Sinan ve Bora'dan.

Sinan ve Bora'yı kızların anlattıkları kadar tanıyorum. Ama kendi içimde daha da ileriye gidip bu erkeklerin nasıl olduklarını yargılıyorum. Uzaktan her şey daha iyi anlaşılıyor. Sinan'ı biraz tanıdınız mı? Dürüst bir genç. Dümdüz. Beş yıldır Demet'i hiç üzmedi. Laf olsun diye bir yüzük taktılar, çünkü Demet tanınmış bir yüz, nişanlı olunca daha rahat dolaşabiliyorlar. Sinan'ın üç ortaklı bilgisayar şirketi var, iş yerlerine sistem kuruyorlar. İşi daha yeni rayına oturdu. Yıllardır uğraşıyor bir baltaya sap olabilmek için, önce turizmle ilgilendi, sonra bir arkadaşının açtığı bara ortak oldu... Hep hüsran, hep zarar. Bu şirketi kurduğunda bile ilk ortağı tarafından dolandırıldı... Sağa sola borçlandı... Demet hep arkasındaydı, iş kuruyor diye ona hep yardım etti. Hem borç para vererek hem de hissedilmeyen yardımlarla. Doğum günü, yılbaşı, sevgililer günü, her fırsatta, bayramlarda bile ona armağanlar aldı. Giyeceği ayakkabıyı bile, bayram hediyesi bahanesiyle Demet alıyordu. İşlerinin bozuk olduğunu biliyor, gururu kırılmasın diye alacaklarını özel günlere denk getirerek armağan olarak veriyordu. 23 Nisan'larda 29 Ekim'lerde bile hediye aldığı olmuştur.

Sinan da onu pek üzmedi. Hafta sonlarını hep ona ayırdı, arada bir hafta araları da geldi. İlk yıllar buluştuktan sonra mutlaka annesinin evine dönüyordu. Bu da Demet'in çok garibine gidiyordu. "Otuzuna yaklaşan bir erkek geceleri nasıl dışarıda kalamaz" diye sinirleniyordu. Şimdilerde gece kalmaya da başladı. Anne, Demet'e onay vermiş olabilir. Demet ise anne-oğul ilişkisinin boyutlarını henüz çözebilmiş değil. Sinan bir ana kuzusu mu, yoksa ana evinden kopamayan bir tembel mi?

Ama bu Demet'e göre küçük bir olumsuzluk. Onun için önemli olan iç huzuru... Birlikte olmadıkları akşamlar "Acaba Sinan şimdi ne yapıyor" diye hiç düşünmüyor. Sinan da hiçbir şey yapmıyor gerçekten. Erkek erkeğe gezmeye, şamata yapmaya bayılıyor, barlara falan da gidiyor, hepsi bu. Bugüne dek yaptığı en büyük çapkınlık, barların o ana baba günü kalabalığındaki sırt sırta duruşlarında, yakın temas nedeniyle tanışmak zorunda kaldığı kızlarla bir süre sohbet etmek... İçinden gelmiyor başka bir şey, söylüyorum ya tembel bir erkek o, flört etmeye bile üşeniyor. Hatta galiba sevişmeye de üşeniyor. Sanki bir ihtiyaç gidermek seks onun için. Mesela "önsevişme" lafını ne zaman duysa gülmesi geliyormuş. "Bu bir görev mi yahu, sevişmenin önü arkası mı olurmuş, insan nasıl isterse öyle sevişmeli" diye düşünüyormuş, ama bu duygularını pek dile getirmiyor, çünkü o zaman herkes tarafından çok ayıplanacağını biliyor. Konuşmalarına bakılırsa tüm erkekler bir önsevişme uzmanı çünkü. Ancak Demet onun birkaç kez bu tür espriler yaptığını söylemişti bana.

Biraz önce, Sinan Demet'i hiç üzmedi dedim ama, hiç sevindirmedi de... Yalnızca huzur verdi. Demet de ne üzülmediğinin farkında, ne sevinmediğinin, o yalnızca huzurunun farkında.

Söz önsevişmeden açılmışken, Bora'ya gelelim... O, önsevişmeyi bilir. Uygular da. Sevişmeyi sever çünkü. Oral seks yapmaktan hiç hoşlanmamasına rağmen onu bile yapar, ama yalnızca karısıyla. Hiç tanımadıkları bir kadınla, daha ilk gece bunu yapan erkeklere de çok şaşırır. Kadının temiz olup olmadığını iyice bilmesi gerekir, ki bunu anlayacak kadar uzun kaçamaklar yaşamaz.

Bence Bora, bu kaçamaklar sonucu hiç vicdan azabı duymaz. Ona göre doğanın kuralıdır bu. Erkekler tohumlarını saçmak zorundadır. Saçtıklarında ise, bunun evdeki eşlerine hiçbir zararı olmaz. O yüzden hastalık kapmamaya çok özen gösterir ki Selin'e bir zarar gelmesin.

Çok yolculuk ediyor, yurtdışındaki tüm maçlara gidiyor, kaçamakları da genellikle buralarda oluyordur eminim. Çünkü o erkekler topluluğu öyle bir dünya ki, o canavar erkekler farklı birini içlerinde yaşatmazlar. Hele bu çapkınlık konusunda... "İstemiyorum, ben karımı seviyorum, yapamam" diyen bir erkek düşünebiliyor musunuz, kadın kadın diye gözü dönmüş o erkekler arasında. Yıllarca birbirlerine anlatıp alay ederek adamı yapmadığına pişman ederler. Onlara göre bu yaptıkları masum bir eğlence. Bizim üniversitede bile, yurtdışında bir kongre sırasında, akşam yanına gelen kadını reddeden hocayı, bizim Çetin Bey'i anlatıp duruyorlar hâlâ, sanki adam çok yanlış bir şey yapmış gibi... Öyle bir aşağılayarak anlatıyorlar ki hem de. Oysa ben, bunu duyduğumdan beri Çetin Hoca'yı ne zaman görsem, sevgiyle bakıyorum ona sırf bu yüzden. Bana göre farklı bir erkek o artık. Bora kadınları seviyor, onları fark ediyor. Hangi kadınla karşılaşırsa karşılaşsın, bir saniye içinde kadının sanki fotoğrafını çekiyor. Ayak bilekleri kalın mı, kalçası geniş mi, memeleri dik mi hepsini görüyor. Hatta iddiasına göre, kadının cinsel organının bile nasıl olduğunu tahmin edebiliyor... Karşılaştığı kadını beğense de beğenmese de mutlaka hoş bir söz söyleme gereğini duyuyor. Söyleyecek hiçbir şey bulamasa, kıyafetini övüyor, "Gömleğiniz ne kadar şık, ayakkabılarınız ne kadar güzel" falan diyor. Eskiden bunu Selin'in yanında da yapıyordu, ama sonra vazgeçti, çünkü o bundan hiç hoşlanmıyor. "Benim yanımda bunları yapıyorsan, ben yokken kim bilir neler yapıyorsundur" diye kızıyor.

Bora iltifat ettiği kadınlarla ilişkiye de girebilen bir erkek, ancak çok kısa sürüyor bu maceralar. Selin ondan pek şüphelenmiyor. Belli ki uzun ilişkiler onu ürkütüyor. İnsanın hayatında bir uzun ilişki yeter diyor. Hem Selin'i üzmek gibi bir niyeti de yok.

9

Yatar mıydın?

Demet-Sinan

Bulmaca çözerken "fotoğraftaki Amerikalı oyuncu" maddesini "Brad Pitt" diye doldurduktan sonra, kalemi çenesine dayayarak düşünmeye başladı Demet. "Dört dörtlük bir erkek nasıl olmalı acaba..." Masanın üzerinde duran "taksitli ödemelerini" hatırlatmak üzere yollanmış bir sürü kötü haberci kâğıtlardan birinin arkasını çevirdi ve tek tek yazmaya başladı.

– Uzun boylu, kumral, güzel yüzlü, güzel vücutlu, güzel el ve ayaklı, muntazam beyaz dişli, sadece göğsünde biraz kılları olan, küçük popolu, göbeksiz, aşırıya kaçmayan adaleleri olan...

– Sportif, iyi yüzen, tenis oynayan, tehlikeli sporları bile yapmaktan kaçınmayan...

– Esprili ama sulu değil...

– Konuşkan ama kadını ilgiyle dinlemesini bilen...

–. Kadını güldüren ve kadına gülen...

– Çok temiz olan...

– Spor ve şık giyinen...

– Çok iyi dans eden...

– İyi bir işi olup çok para kazanan...

– Başarılı ve zengin olduğu halde bununla kasılıp şişinmeyen...

– Sürpriz yapmayı seven...

– Çok iyi sevişen... Uzun uzun... Tadını çıkararak...

– Kitap okuyan, kaliteli müzik seven, sinemadan hoşlanan...

– İnsan hakları, barış gibi meselelere soğuk durmayan...

– Kıskanç ve sahiplenici olmadan ilgisini gösteren...

– Kadınları seven, ama asla bir sevgilisi varken onlarla ilgilenmeyen...

– Bütün kadınlar onun peşindeyken yalnızca sevgilisini gören...
– Sevgilisinden başka hiçbir kadını istemeyen...
– Kadın üzerine atlasa bile asla canı çekmeyen...
– Sevgilisini deli gibi seven, körkütük âşık olan...
– Ondan ev işi beklemeyen, gerektiğinde çok güzel yemekler yapan...
– Annesinin kusurlarını fark edebilen...
– Sevgilisinin annesini çok seven...

Sanki şeytan dürtüyordu... Yazdıkları yirmi maddeyi geçmişti, ama telaşla düşünüyordu... Aynı maddeleri farklı cümlelerle tekrar yazıyordu. Başka bir şeyler daha olmalıydı. Sanki şişeden çıkmış cine idealindeki erkeği ısmarlıyordu da, eksik bir şeyler bırakmamaya çabalıyordu aceleyle. En önemli şeyi bulamadığını sanıyor, dünyanın en ciddi işini yapıyormuşçasına anımsamaya çalışıyordu.

Başka ne olabilir bunu bulamadı, ama bu kez de bu maddelerin hangisinin Sinan'da bulunduğunu işaretlemeye başladı. "Evet yakışıklı, evet iyi yüzer... Evet temiz... Şık... Evet ev işi beklemez... Evet kıskanç değil... Pek değil." Başka kadın meselesini abarttığı için kendi kendine gülerek, o maddelerin tümünü işaretledi Sinan lehine... Sadece kadın üzerine atlasa bile canı çekmez maddesinde takıldı, güldü. "Acaba o zaman dayanamayıp yapar mı" diye düşündü, karar veremedi. Sonunda "Yapmaz herhalde" diyerek onu da işaretledi.

Tuhaf bir durum çıkmıştı ortaya. İşaretlemediği maddeler sanki o kadar önemli değil gibi duruyordu, ama oldukça fazlaydı. Uzun uzun, tadını çıkararak sevişmek, zengin olmak, iyi dans etmek... İşaretlediği maddeler ise önemli konulardı. Yani başka kadınlara bakmamak falan ötekilerden daha önemli değil miydi? O zaman Sinan maçı kazanmış mıydı?

Tam bu sırada kapı çaldı, ardından bir anahtar sesi duyuldu ve Sinan içeri girdi. Demet gülümseyerek, yerinden kalkmadan baktı. Evet gerçekten çok yakışıklıydı... Çok güvenilirdi... Konuşkan ve esprili olmasa bile dinlemesini ve gülmesini bilirdi... Anket kâğıdını sakince buruşturup masaya bıraktı, sonra aniden, böyle bir

şey sormayı aklından bile geçirmediği halde:
– Sinan, bir kadın senin kucağına atlasa onunla yatar mıydın?
diye sordu.
– Ne? dedi Sinan. Afallamıştı, gerçekten anlayamamıştı ne sorduğunu.
– Hiç tanımadığın güzel bir kadın, birdenbire kucağına otursa, seni okşamaya başlasa, bundan zevk alır mıydın?
– Niye yapsın ki hiç tanımadığım bir kadın böyle bir şey?
– Varsayalım ki yaptı... Seni okşamaya başladı, son derece dekolte giyinmiş. Ereksiyon olur muydun yani?
– Bir keresinde Romanya'da erotik şovlar olan bir pavyonda, kadın gelip kucağıma oturmuştu, ama hiçbir yerim kıpırdamamıştı.
– Bu öyle değil. Bomboş bir odada yapayalnızsınız...
– Soda yok mu bu evde... Midem bir tuhaf da, dedi Sinan.
Ok yaydan çıkmıştı ve sorduğu sorunun yanıtını almadan konuyu kapatacak bir kadın da bu yeryüzünde bulunmuyordu. Israr etti Demet:
– Cevap versene Sinan, onunla yatar mıydın?
– Yahu yapma lütfen, ne saçma şey bu yaptığın, eve gelir gelmez... İnsan bir hoş geldin der. Nerden çıktı bu şimdi?
– Onunla yatar mıydın?
– Yatmazdım.
– Ama seni okşuyor, oranı buranı tutuyor, fermuarını açıyor...
– Kolundan tuttuğum gibi indirirdim kucağımdan.
– Niçin yalan söylüyorsun?
– Soruyorsun, cevap veriyorum. Niçin inanmıyorsun?
– Çünkü bu durumda o kadını kucağından itecek bir erkek yoktur da ondan.
– Bana inanmak zorundasın, sorunun yanıtı bu.
– Kadın çok güzel ama, açık saçık giyinmiş, seni öpüyor... Her tarafını öpmeye başlıyor.
Sinan ilgiyle Demet'in yüzüne bakıyordu. Bu bir şaka mı, yoksa gerçekten ciddi bir soru mu anlamaya çalışıyordu. Bunun ardından bir kavga mı gelecekti, yoksa Demet birdenbire kahkahalarla gülmeye mi başlayacaktı? Ciddi olacağını sanmıyordu. Ka-

dınların bu soruları sorarken ne kadar ciddi olduklarını hâlâ öğrenememişti ve sorunun net cevabını kendi içinde düşünmeye de üşeniyordu. Nasıl bir tavır takınması gerektiğini kestiremiyordu. Sıkılmıştı, tekrarladı:

– Yatmazdım...

– Ama şeyin kalkardı değil mi?

– Herhalde kalkardı, taş parçası değilim ya...

– Demek öyle, o zaman canın isterdi yani.

"Demek öyle"nin tonlaması hafif bir ciddiyet kazanmışa benziyordu. Soğuk, buz gibi bir ses çıkmıştı Demet'ten. Hatta kırgın bir "demek öyle"ydi bu. Sinan konuşma uzarsa işin ciddileşebileceğini sonunda anladı, konuyu kapatmak istedi, televizyon kumandasını eline aldı, rasgele bir düğmeye bastı:

– Ne sinir oluyorum bu adama, dedi.

– Konuyu değiştirme ve dürüstçe cevap ver, dedi Demet... Artık gülmüyordu ve sesinden sabırsızlandığı anlaşılıyordu. Sinan ise sıkılmaya başlamıştı iyiden iyiye...

– Yatardım, dedi sertçe. Yatardım elbette, kadının yapmadığı şey yok baksana... Oramı buramı öpüyor... Ne yapayım, mecburen yatardım.

– Git yat o zaman, dedi Demet. Elindeki kalemi Sinan'a fırlatmıştı.

Sinan göğsüne çarpan kalemi tutmaya çalıştı, inanamıyordu, ama Demet sahiden kızgındı.

– Deli misin sen, dedi

– Deli değilim, git yat o kadınla hemen...

Sinan gülmeye çabaladı, Demet'in yanına gidip ona sarılmak istedi:

– Yeter artık bu şakayı çok uzattın Demet, geceyi rezil etme lütfen, hadi bırak bu saçma sapan konuşmaları, dedi.

Demet sertçe geri çekildi:

– Demek yatardın öyle mi, git yat hemen, o maddeyi de karalıyorum o zaman, geriye ne kalıyor bir bak bakalım, diye bağırarak, masanın üzerinden aldığı buruşturulmuş anket kâğıdını Sinan'a fırlattı.

Sinan top haline gelmiş kâğıdı havada yakaladı, öylesine şaşırmış ve öyle sinirlenmişti ki hiç yapmadığı bir şey yaptı ve,

– Peki gidip yatıyorum o zaman, diyerek hızla kapıyı vurup çıktı.

Demet hınzırca güldü, kanepeye uzandı, televizyona bakmaya başladı... Sevgilisi bu tür anlamsız bir kışkırtma sonucu evi terk eden kadınların, haksız olduklarının bilinci içinde, daha ilk saniyeden itibaren duydukları "Acaba beni gerçekten bırakır mı?" endişesi içinde hiç yoktu.

10

Çekişmek istiyorum
Demet

Neden böyle yaptım bilmiyorum. Pek yaptığım bir şey değildir bu. Huzura kafamı takmışımdır, huzurlu olduğum sürece mutlu kalacağımı düşünmüşümdür her zaman. Bir ilişkideki en büyük huzur da, sevgiline duyduğun güvendir. Ben Sinan'a çok güveniyorum, bir gün bile bu güvenimi sarsacak bir şey yapmadı. O soruya kızgınlıkla "Yatarım" dedi ama, buna bile eminim, yatmaz. Bir kadın için bundan daha harika ne olabilir? Hem yakışıklı hem de yalnızca benimle ilgileniyor. Peki neden böyle yaptım? Sanırım bazen kavga çıkarmak hoşuma gidiyor. Sebebini tam olarak bilemiyorum. Tekdüzeliği yok etmek, bir heyecan yaratmak için olsa gerek. Onunla çekişmek istiyorum zaman zaman. İşin içinde kıskançlık olmayınca pek sebep de bulamıyorum çekişmek için... O zaman yaratıyorum işte. Bu kez biraz saçma oldu ama.

İş yüzünden, para meselelerinden tartışma çıkarmak istemiyorum, yapacak bir şey yok çünkü, o öyle biri. Çalışmak ona zor geliyor sabah işe gidip akşam işten dönmek, onun için çok zavallı, çok küçültücü bir durum. Hele başında şefler, müdürler olur, onlara kendini beğendirmek için çabalarsa çok kötü oluyor... O zaman kendi işini yapması gerekiyor ki bu da bir yetenek olsa gerek, o da bu yeteneğe pek sahip değil. Ben de bu konularda ona karışmamaya özen gösteriyorum. Hem zaten çok üzüldüğü bir konuda onu kırmanın anlamı yok. İlk başlarda dans etmediği için olay çıkarıyordum, ona öğretmek için çabalıyordum, baktım olmuyor, kütük gibi, bu da onun tercihi dedim, bıraktım. Hem artık kadınlar da piste çıkıp kendi başlarına dans edebiliyorlar bir erkeğe gereksinim duymadan.

Sevişme konusunda da pek problem yok aslında... Bunu kafama pek takmadım zaten. O adam, eski sevgilim gibi birisine rastlamak kolay değil. Ona sevgilim bile denemezdi ya... Öyle olanlar da, başka bakımlardan kötü oluyorlar galiba. Bu kadar iyi olunca, bu iyiliklerini tüm kadınlara göstermek çabası içindeler sanırım. O zaman insanda ne güven kalıyor, ne huzur. Şimdi güvendiğim bir erkekle sevişiyorum ve genelde mutlu oluyorum. Bunun tek ölçüsü doyuma ulaşmaksa, bu da oluyor. Olamadığı zaman benim yoğunlaşamama durumumdan kaynaklanıyor bu.

Bunlara aklımı yormuyorum aslında. İşim beni daha çok ilgilendiriyor ve meşgul ediyor. Hayatımda ne kadar huzursuzluk varsa işim yüzünden; çünkü iş hayatında çok fazla haksızlık oluyor. Hele bizim işimizde. Şu Esra olayına çok bozuluyorum mesela. Gerçekten o kızın benden fazla bir yanı yok. O gün Sinan'a kızdım, ama ben de bunu düşünmüyor değilim bazen. Yöneticiyle yatıp kalkmasa bile daha sevimli daha sıcak davranıyor olabilir. Ekranda çok soğuk görünüyor, ama aslında cilveli bir kız. Ben daha soğuk tavırlıyımdır, öyle gidip insanlara iltifatlar falan edemem. Bana böyle yaklaşıldığında kırıtamam. Bunlar sinirimi bozuyor işte. Belki bunlara üzülüp hıncımı Sinan'dan çıkarıyorum. Onun beni asla üzmeyeceği, asla terk etmeyeceği duygusu sayesinde bazen ona bir bıçak saplıyorum, hatta saplamakla kalmıyor, bıçağı içinde kanırtıyorum. O iyice sinirlenene dek bunu yapıyorum. O, yeterince kızınca, ben hemen yumuşuyor, eski halime dönüyorum.

O tartışmayı hiç sevmez, ben onu kızdırdıktan sonra hemen normal halime dönsem de, o kavganın etkisinden kolay kurtulamaz. Bu kez biraz uzun sürdü siniri, üç gündür bir telefon bile etmedi. Ben de aramadım. Nasıl olsa dayanamaz, arar.

İşte bu çok keyif verici bir şey. Nasıl olsa arayacak.

11

Burnu sürtülsün

Sinan

Deli mi ne? Durup dururken nereden buluyor böyle şeyleri? Canı sıkılıyor herhalde, ortada olay yok, kadın yok... Yatar mıydın? Sen bu kadar anlayışlı, bu kadar sadık olacaksın, sonra olmayan bir kadın için kavga yaşayacaksın. Kaçık bu kadınlar, kaçık. En akıllısı bu işte. Bu da böyle yapıyorsa öteki salaklar nasıldır kim bilir. Ortada fol yok yumurta yok, işleri tıkırında, benimle arası iyi, güzel kız, genç kız... İlle de bir terslik çıkaracak. Hayır, aldırmayayım diyorsun, olmuyor, biz de etten kemikteniz, sevgilin karşında abuk sabuk şeylerden kavga çıkarıyor, sen sırıtıp duracaksın. Bunu istiyor herhalde. Ne istiyor anlamak mümkün değil ki. Anlayabilsem yapacağım, yeter ki tartışma çıkmasın.

O liste neydi öyle, bu da bir manyaklık işte, kırk yıl düşünsem böyle bir şey aklıma gelmez... Oturup da Demet nasıl bir kadın gibi bir liste hazırlamam kendime. Hani işi gücü olmayan salak bir kadın olsa neyse... Akıllı bir kız, ama işte bu kadınlar bir yerde aynılar, kaçık gibiler, evde oturup liste yapmış. Yok poposu dar, iyi yüzer, şık giyinir, bilmem ne...

O işaretledikleri bölümler benimle ilgili herhalde. Tabiî canım benimle ilgili. Üşenmemiş madde madde bir şeyler yazmış. İşaretlediği bölümler bensem eğer bir sorun yok gibi. Yakışıklı, sportif, temiz, şık, kadınlara bakmaz, asılmaz, sadece onunla ilgilenir, kadın kucağına atlasa bile bakmaz. Bu maddeyi de işaretlemiş, ama demek pek emin değil ki ısrarla sorup kavga çıkardı.

Be kadın, başka erkekler neler yapıyor biliyorsun, bırak biz de kucağımıza atlayan kadınla bir şeyler yapalım. Hayır, bu da olmayacak. Olmuyor zaten.

Ne kadar büyük bir takıntı kadınlarda aldatılmak duygusu. Yapmadığımız halde bunlar oluyor, bir de yapsak. Dans etmeyi işaretlememiş, edemiyoruz tamam da burada bir problem çıkmıyor.

Çok iyi sevişen, uzun uzun... Bu ne demek oluyor şimdi? Bu da ben miyim? Acaba bu işaretler bana mı ait, yoksa genel olarak erkekler hakkında mı? Acaba daha bitirmemiş miydi işaretlemesini? Tam o sırada ben geldim, belki daha düşünüyordu... Çok iyi sevişen, uzun uzun. Saat mi tutuyor acaba sevişirken? Kaç dakika sürüyor ki? Yarım saat sürüyor mudur acaba? Sürmüyordur canım. Bak şimdi benim de aklımı karıştırdı. Kaç sene geçti, bir sorun olsa söylerdi. Demet böyle şeyleri konuşamayacak bir kadın değil ki. Bir sorun da yok zaten. Ne genç erkeklerin ne sorunları var, Demet bunları bilmiyor mu? Eşcinsel olup da evlenenler, hiç kaldıramayanlar, gencecik yaşta Viagra kullananlar, her akşam başka bir kadınla olanlar, hastalık kapanlar...

Bizde bir sorun var mı? Yok. O her seferinde memnun kalkmıştır yataktan. Benim de bir şikâyetim yok. O zaman?

Aman ben de ciddi ciddi bu saçmalıklarla ilgileniyorum.

Fakat bu kez çok kızdım... O arayıncaya kadar asla aramayacağım. Şamar oğlanına çevirdi beni. Bunu hiç hak etmiyorum. Biraz burnu sürtülmeli çok şımardı çünkü.

12

Pişman olmalısın Bora!

Selin-Bora

Selin en önemli müşterisiyle, odasında oturmuş kahve içerken telefon çaldı. Bakıcı Esma arıyordu.

– Selin Hanım sakın telaşlanmayın, önemli bir şey yok, ama sanki bana Murat Can'ın biraz ateşi var gibi geldi. İştahı da her zamanki gibi değil, dedi.

Yüreği ağzına geldi Selin'in, yüzü sapsarı oldu, aniden yerinde doğruldu, telefonu öteki eline geçirdi, adam sakince oturduğu halde, merak edilecek bir şey yok der gibi işaret etti, boğazını temizledi:

– Esma Hanım doğru söyle, ciddi bir şey yok değil mi?

– İnanın yok, belki ateşi bile yoktur, ama siz ne olursa olsun hemen beni ara dediğiniz için telefon ettim, sizi telaşlandırmak istemezdim, sadece biraz kuşkulandım.

– İyi yaptın Esma Hanımcığım, ben şimdi babasını ararım, alsın doktora göstersin.

Esma Hanım'ın sakin sesi sayesinde o da rahatlamış, ikna olmuştu. İyi yapmıştı elbette aramakla. Ne olursa olsun ara demişti ona, ama Esma biraz ince düşünceli olsaydı telefondaki ilk sözü sakın telaşlanmayın olmazdı. Çünkü insan telaş sözünü duyunca, telaşlanmayın dense bile telaşlanacak bir şeyler var da saklanıyor kaygısına kapılıyordu. Oysa Esma söze, "Selin Hanım, Murat Can'ın biraz ateşi var" diye başlasa, Selin bu kadar telaşlanmayacaktı.

Esma Hanım'ın böylesine pimpirikli olmasının nedeni de yine kendisiydi. Geçen yıl Murat Can bir yaşlarındayken düşüp dizini sıyırdığında, haber vermeden çocuğu alıp eczaneye götürdüğü için çok kızmıştı Esma'ya. O da şimdi ne olursa olsun Selin'e açıp haber veriyordu. Bir kere "Bugün mamasını çok püskürtüyor" bile demişti.

Müşteri kibarca, önemli bir şey olup olmadığını sordu. Selin değerli müşterisine, Alp Bey'e, önemli bir şey olmadığını, ama bir dakika izin verirse, bir telefon edeceğini söyleyerek Bora'nın telefonunu çevirdi. Sekreteri çıktı:

– Bora Bey bina içinde, ama nerede bilmiyorum Selin Hanım, dedi.

Selin aşırı derecede sinirlenmişti, yutkundu, belli etmedi:

– Lütfen çağırabilir misiniz, dedi.

– Siz kapatın, ben onu bulup sizi arattırayım, dedi kız da ona.

Selin'in o dakikadan itibaren artık kendisini tutması mümkün olamazdı.

Zaten o kıza fena halde sinirleniyor, hiç sevmiyordu. O kıza göre Bora dünyanın en önemli adamı, kendisi de o önemli adam için en önemli kişiydi. Sanki o ikisi olmasa, önce ülkedeki spor hayatı ve tabiî futbol yok olur giderdi. Sonra gazete batardı, hatta memleket ve dünya da yok olurdu onlarsız. O kadar önemliydiler. Böyle bir hava yaratıyordu kız ve Bora da bu yüzden onu çok başarılı buluyordu.

– Ne demek arattırayım, sizin göreviniz hemen onu bulmak değil mi? Hemen onu telefona çağırın, çocuğuyla ilgili bir mesele, dedi haddinden fazla sert bir sesle.

Hemen pişman oldu çocuğu öne sürdüğü için, onun görevi karısı arayınca Bora'yı çağırmak değil miydi zaten? Selin önemsiz biri miydi ki önem kazanmak için çocuğundan söz etmesi gerekiyordu? Selin önemli değildi, ama çocuk deyince futbol da, gazete de, Türkiye de, dünya da daha geri planda kalacak, Bora hemen telefona çağrılabilecekti. Kendine çok kızdı bu yola başvurduğu için, ama söylemişti bir kere hem yalan da değildi. Zaten işe de yaramış, sekreter kız da telaşlanmıştı işte:

– Arıyorum, bekleyin, dedi.

Müşterisine gülümsemeye çalışarak beklemeye başladı. Bir yandan da düşünüyor, kendi kendini kışkırtıyordu, sanki sekreter büyük bir suç işlemişti, ondan her zamankinden daha çok nefret ediyordu. "Ben de yöneticiyim, ama bir sekreterim yok, spor müdürünün sekreteri var, üstelik işini de görmüyor" diyordu kendi kendine. Bora'nın sesi duyuldu, soluk soluğaydı.

– Nihayet geldiniz, lütfettiniz, dedi.

– Ne var Selin bir şey mi oldu, koştum yukarıya?

– Murat Can hasta, benim çok önemli bir işim var, onu alıp doktora götürmen gerekiyor, dedi.

O sırada, "rahat olun lütfen, ben gideyim, sonra gelirim" gibi bir hareket yapan müşterisine, "önemli değil, oturun" işareti yapıyordu o da.

Bora da telaşlanmıştı:

– Nesi varmış, önemli bir şey mi? diye sordu.

– Önemli ya da değil, alıp doktora götürmen gerekiyor.

Bora da sesini yükseltti:

– Önemli mi diyorum Selin? Delirtmesene insanı.

Bora çocuğuna çok düşkün bir babaydı, Selin onu daha fazla telaşlandırmamak gerektiğini hissetti, ama nefret ettiği kızın yanında onunla böyle bağırarak konuşmasına da izin veremezdi:

– Bir kere bana herkesin içinde bağırma, herkes yokken de bağırma, dedi.

– Bağırmıyorum Selin, söyler misin lütfen ne oldu? dedi Bora sakinleştirmeye çalıştığı sesiyle.

– Pek önemli bir şey değil, yemek yemiyormuş, ama bence doktora görünmesi gerekiyor, bunu da sen yap, çünkü işim çok, dedi.

Bora rahatlamıştı, derin bir nefes aldı:

– Ama ben de yazımı yetiştiriyorum, diye yanıtladı.

Selin'in tepesi iyice atmıştı. Kendi kendine müşterinin önünde sakin olmaya ve ona asla bir karıkoca kavgası sergilememeye karar vermişti. Ama insanlar sinirlenince, karar falan dinlemiyor. Sinirin özelliği bu zaten. Kendine odada müşterisi olduğu için bağırmamasını öğütlerken, en cırlayan sesiyle:

– Bu dünyada senin futbolundan daha önemli şeyler de var Bora, diye bağırdı.

– Benim futbolumla dünya ilgileniyor, senin müşterinle bir tek sen, dedi Bora da.

Gözleri doldu Selin'in:

– Götürmeyeceksin yani saçma sapan bir yazı için.

– Saçma sapan bir yazı değil bu, şampiyonlar ligi ve de o yazıyı bekleyen köşe boş çıkamaz... Biz sahne sanatçıları gibiyiz, dünya yıkılsa o köşe boş kalamaz. Madem önemli bir şeyi yokmuş götürmeyeceğim. Annene söyle o götürsün.

– Benim annemin işi de senin futbolundan daha önemli... Peki Bora, bu yaptığını asla unutmayacağım.

Kapattı telefonu yüzüne...

Yenilmişti... Hem de düşmanının gözü önünde yenilmişti. Üstelik o kadar emindi ki, telefonu kapattığı andan itibaren odasına gelen o gürültücü adamlarla bir penaltı pozisyonu üzerine tartışmaya başlayabileceğinden. Hiçbir şey olmamış gibi. Bu, erkeklerin en kıskandığı özelliğiydi. Olanları hiç kafalarına takmadan, bir olaydan ötekine, diğerinden hiçbir iz aktarmadan, kolayca geçebilmeleri...

Binlerce kez özür diledi müşterisinden. Olan biteni gülmeye çalışarak anlattı ki, adam da bunun sıradan bir aile kavgasından öte bir şey olmadığını anlasın. Ayrıntılar vermeye başladı adama. Gülerek anlatıyordu, Murat Can'ın ateşi olduğunu söylemiyordu, çünkü bir futbol yazısı uğruna hasta çocuğunu doktora götürmeyen bir kocaya sahip olduğunu anlamasını istemiyordu değerli müşterisinin.

– Yemeğini püskürtüyormuş çocuk, dedi.

– Bunun için miydi bu kadar telaş, dedi adam gülerek.

Çok tatlı bir ifadeyle söylemişti adam bunu. Hoş adamdı aslında. Selin de güldü şımarık bir kız gibi.

– Hıı bunun içindi, dedi.

Müşteri gittiğinde apar topar eve koştu. Murat Can'ı kucağına aldı, ateşine baktı, hiçbir şeyi yoktu, neşe içinde oynuyordu.

– O zaman alnı bana biraz sıcak gelmişti, dedi Esma Hanım pişmanlıkla.

– Çok iyi ettin Esma Hanım, elbette arayacaktın, dedi Selin sevgiyle.

– Siz de gidin artık, ben onu anneme götüreceğim, dedi.

Erkeklere verilecek en büyük ceza, onların üzülmelerini sağlayarak, yaptıklarına yapacaklarına pişman etmekti. Hasta bebeğiyle babası ilgilenmediği için, kırılmış, üzülmüş, yalnız kalıp annesinin yanına sığınmış bir kadından daha pişmanlık verici ne olabilirdi?

13

Bora'nın sekreteri var

Selin

Neden böyle yaptım acaba? Aslında Murat Can'ın önemli bir şeyi olmadığını anlamıştım. Ama müşterime rağmen onu arayıp bir tatsızlık çıkarmayı neden istedim? Üstelik Bora'ya oğlanın ateşi var bile demedim, o da hasta olmadığını anladı ve o yüzden işim var diyebildi. O zaman ona bu denli sinirlenmemin nedeni ne olabilir? Onca iş arasında neden kötü kalpli bir canavar gibi onun sinirini bozmayı, gazetedeki eğlenceli ve sorumsuz dünyasına minik bir el bombası atmayı istedim.

Kıskanmayan bir kadın olduğum gerçeği aslında kocaman bir yalan mı? Onunla ilgili hiç duymadığımı varsaydığım kuşkularımı içime mi gömmüşüm farkına varmadan? Merve'yi mi kıskanıyorum acaba? O soğuk, terbiyesiz kızı mı kıskanıyorum ben? Niçin ona soğuk ve terbiyesiz kız diyorum örneğin? Karşılaştığımızda, "Merhaba, bir şey içer misiniz"den başka bir şey söylemediği, gülümsemediği, patronunun karısına iltifatlar etmediği için mi soğuk ve terbiyesiz? Bora'yı, benim onu önemsediğimden daha önemli gördüğünü düşündüğüm için mi bana bu kadar itici geliyor?

Bora nasıl oluyor da çevresindeki herkese işinin çok önemli olduğunu kabul ettirebiliyor? Zaten çok sevdiği için, spor yazarı olmasa da gideceği maçlara gidip kurtlarını döktükten sonra, iyiydi, kötüydü, teknik direktör şöyle yapmalıydı, hakem yanlıştı, gol ofsayttı gibi her zaman konuştuğu şeyleri yazarak bunu işe ve paraya dönüştürmesini, üstelik bunun karşılığında sekreterlerle, kocaman odalarla çok lüks bir hayat yaşamasını eleştirince neden küplere biniyor da uygarca tartışmıyor?

Dostlar arasında olsun, aile içinde olsun, bir tek kişi benim işimden söz etmiyor. Bütün gün rakamlarla boğuşmanın, insanların hesaplarını kontrol altında tutmanın zorluğunu, ne denli bunaltıcı olduğunu, yüklenilen sorumluluğu hiç kimse anlamıyor. Bora bile, bir tek gün işim hakkında konuşmuyor, yorgunum dediğimde şaşırıyor, ama o hep yorgun oluyor. İnsanın çok sevdiği şeyleri yapıp bunun adına iş denmesinin nesi yorucu olabilir?

Bir kez geldi bankaya. Penceresiz, minicik odamda, durmadan telefonlar çalarken, biriyle konuşup ötekini hatta bekletirken, birkaç dakika deli gibi odada dolaşıp, çıkıp gitmişti hemen.

Acaba ekonomi değil de, istediğim gibi psikiyatri okuyabilseydim, daha mı önemli olurdum dostlar arasında?

Psikiyatri okumak istediğimi söylediğimde, babamın itirazlarıyla karşılaşmıştım.

"Ne yapacaksın kızım psikiyatriyi, çok uzun, çok ağır bir eğitim bu. Sen işletme oku, ekonomiyi öğren, o zaman her işten anlayabilir, her yeri yönetebilirsin. Bak annene, eğer işletme okumasaydı, koskoca mağazayı böylesine başarıyla yönetebilir miydi? Hem en sevdiği işle, modayla ilgileniyor hem de yönetici" demişti. Babişkom o kadar önemli biriydi ki benim için –şimdi de öyle– hiç düşünmeden işletme bölümlerini yazmıştım sıra sıra... En iyisini, birinci tercihimi de kazanmıştım. Zor bir eğitimdi, psikolojiyle ilgilenen biri için pek de keyifli değildi, ama babamı mutlu etmek için elimden geleni yapmış, hiç sene kaybetmeden fakülteyi bitirmiştim. Psikoloji keyfimin tatmini kitaplarda kaldı.

İşte belki de bundan ötürü, için için sinirleniyorum Bora'ya... Ben işletmede okurken, o coğrafya bölümünü bitirmek üzereydi. Benim ders çalışmaktan canım çıkarken, o son dakika sınavlara çalışır geçerdi. Okurken, bir gazete için voleybol maçlarını izlemeye başlamıştı. Amcası spor müdürünün arkadaşıydı, yani torpille ona bu işi bulmuştu... Sekiz yılı geçti birlikteliğimiz. İkimiz de çok gençtik ve birbirimize deli gibi âşık olmuştuk. O tam olarak benim ilk erkeğimdi. Ben onun ilki değildim elbette, ama ilk aşkı olduğumdan eminim.

Coğrafya mezunu adam, şimdi bu lüks hayatı yaşayıp ünlüler

kervanı arasında keyifle yaşarken, böyle zor bir eğitim alan ben, çarşı içindeki bankanın dört duvarı arasında, her yıl terfi ve zam heyecanından başka hiçbir beklentisi olmayan bir genç kadın olarak yaşıyorum.

Başka kadınlar, kocaları önemli olduğu sürece, sağa sola karşı gururlanırken, ben neden onun önem kazanmasına tepki veriyorum, bu da incelemeye değer bir durum tabiî.

O gece anneme geldi Bora. Hiçbir şey olmamış gibi ailece yemek yedik. Kız kardeşimle takımları üzerine çekiştiler. Kardeşim yine, "Hiç takım tutan spor müdürü olur mu ne ayıp" diyerek onu kızdırmaya çalıştı. Annem konuyu hiç açmadı. Annem zaten bu olayda bana hak vermedi. Şımarıklık ettiğimi, abarttığımı, böyle şeyler yapmamamı, evliliğimi yok yere yıpratacağımı anlattı. "Çok efendi bir çocuk Bora" dedi. Babam zaten aynı takımı tuttukları için onunla sohbet etmeye bayılıyordu...

Sonra Murat Can'ı alıp evimize döndük. Sabahki olayları hiç konuşmamak akıllılığını gösterdik.

Annemin evinde Murat Can'ı öyle bir kucaklayışı vardı ki, ben de haksızlık ettiğime inanmıştım zaten.

14

Selin'i hiç üzmedim
Bora

Selin, zaman zaman bir şeyleri kafasına takıp çok garip davranışlar sergiliyor. Ama kafasına taktıkları nedir bunu anlamak çok güç. Son zamanlarda bir şey yaptığım da yok. Birkaç saatlik geçici maceraları anlaması da mümkün değil. Ne peki onu böyle gergin yapan? Çok iyi bir işi var. Kısa sürede yükseldi, yönetici oldu. İş konusunda mutsuz olması mümkün değil. Benim işime arada bir tepki gösteriyor olabilir. Maçlar, akşam toplantıları, yolculuklar, televizyon programları. Belki bunlardan hoşlanmıyordur. Ama düşünüyorum da, bunlara neden tepki göstersin bir kadın? İşimin ne kadar önemli olduğunu biliyor, bu yaşta böyle bir yeri kapmış olmamın ne zor bir şey olduğunun farkında, bizim meslekte nasıl kıran kırana bir rekabet olduğunun, her an her şeyin olabileceğinin bilincinde. Yaptıklarımın tümünün benim işimin bir parçası olduğunu anlıyor. O zaman? Ortalıkta onlarca kadın var benimle birlikte olmak için can atan... İstesem her gün bir tanesiyle birlikte olabilirim. Evlenelim desem, hayır diyecek bir tane çıkmaz. Kuma bile gelirler vallahi. Selin ne istiyor peki? Bu kadar güzel bir hayat yaşarken.

Yirmi iki yaşından beri onunla birlikteyim. Neredeyse sekiz yıllık evliyiz. Bunca yıldır, gençliğimden beri hayatımı tek bir kadınla geçirmem mümkün olamazdı. Kim yapabiliyor ki tek kadınla? Üstelik onca kadın etrafımda uçuşurken. Ama Selin'i üzecek hiçbir şey yapmadım. Hiçbir şey. Buna eminim. Aynı kadınla bir ay süren bir ilişki bile yaşamadım. Her seferinde çok dikkat ettim, en ufak bir iz bırakmadım üzerimde, hiçbir akşamı dışarıda geçirmedim. O yüzden onun bu sinirli davranışlarını hak ettiğimi hiç sanmıyorum. Belki de bunları düşünmemem gerekir. Belki de kadınların aylık sinirlilik halleridir yaptıkları. Onun mutsuz olduğunu sanmıyorum.

15

İkisini de seviyorum

Güler

Selin'i de Demet'i de çok seviyorum. Onların da beni bu kadar çok sevip her şeylerini sınırsızca, güvenle açmalarından çok mutlu oluyorum. Hem bana yaşımın çok üstünde bir yaştaymışım gibi saygılı davranıyorlar, hem de yaşıtlarıymışım gibi samimiyet gösteriyorlar. Aslında onlardan çok yaşlı değilim, en azından anneleri olacak yaşta bile değilim, ama onlar bazen beni, değil anneleri, anneanneleri gibi görüyorlar. Bunun nedeni, belki de gençlerle ilişki kurmadaki alışkanlıklarımdandır. Yıllardır yaptığım üniversite hocalığı sayesinde, gençleri tanıdım, onlarla ilişki kurmayı becerebildim. Daha da önemlisi onları anlamayı ve sevmeyi öğrendim. Bu yüzden Selin ile Demet beni böyle sevip güveniyorlar sanırım.

İkisini de çok seviyorum dedim. Sahiden böyle. Bana sorsanız hangisini tercih edersin diye, asla seçim yapamam. Hangisini daha çok beğeniyorum? Böyle bir soruya da asla yanıt veremem. İkisinin de hem çok sevdiğim hem de eleştirdiğim yanları var.

Aslında tuhaf, ama birbirlerine benziyorlar. Fizik olarak pek benzemeseler de, kişilik olarak benziyorlar sanki. Güzel ve bakımlı kızlar. Demet sanki biraz daha bakımlı, biraz daha süslü, bu da mesleği yüzünden olsa gerek. Selin iş yaşamında biraz rüküş gibi. Uzun etekler, uzun ceketler, beyaz ya da mavi gömlekler, klasik model topuklu ayakkabılar giyiyor. Büyümüş de küçülmüş gibi. Hiç anlamıyorum bunu, bankacı kadınların ille de anneanne gibi mi giyinmeleri gerekiyor? Onları böyle, üniforma gibi giyinmeye kim zorluyor, aralarında gizli bir anlaşma mı var, hepsi aynı tarzda giyiniyor?

Bir kez alışverişe çıkmıştık birlikte, "İş kıyafeti alacağım" diyordu. Ben de ona yaşına uygun, şık ama daha spor giysiler gösteriyordum, gülüyordu zarifçe, "Olmaz bunlar, iş kıyafeti alacağım" diyordu, iş giysilerini neden beğenmediğimi bir türlü anlamayarak. O gün de pahalı, ama yaşından çok büyük gösteren bir döpiyes almıştı kendine.

Oysa tatil günlerinde bambaşka bir kız gibi. Geçiriyor ayağına spor ayakkabılarını, çok şık eşofmanlar ya da blucin giyiyor, üzerine de düz bir gömlek ya da tişört... Saçlarını arkadan bağlıyor, o zaman yirmi yaşında gibi gösteriyor. Çok sevimli oluyor. Çok dürüst, net tavırlı bir kız. İlkeli. Annesine çok benziyor. Alışverişe çıktığımız gün, annesinin yönettiği büyük mağazaya da gitmiştik... Annesi, bize bir bardak su ikram etmiş, oturun bile dememişti. Belli ki o da ilkelerine bağlı, hatta biraz katı ve sert bir yöneticiydi.

Mağazadan çıktıktan sonra Selin, annesinin bu soğuk tavrından rahatsız olduğumu düşünerek, "İşyerinde böyledir, çok katı kuralları vardır, ama evde görsen, hâlâ onun bebeği gibiyimdir, kucağından inmem" demişti. Ama esas kucağından inmediği kişinin babası olduğunu biliyordum. Evde kuralları anne, şefkati baba temsil ediyordu, Selin'in de bu durumdan hiç şikâyeti yoktu.

Demet biraz daha süslü. O, sivri burunlu, ince uzun topuklu terliklerle alışverişe bile çıkabilir. Modaya körü körüne uymasa da, modanın dışında giyinmekten hoşlanmıyor. Makyaj yapmadan dışarı çıktığı sayılacak kadar az. Ekranda giymek zorunda kaldığı ceket ve gömleklerden hiç hoşlanmıyor. Ama nedense onun ceket ve gömleği, Selin'inkilerden daha spor, daha modern duruyor üzerinde. Belki onu bu giysilerle yalnızca ekranda gördüğüm için bana öyle geliyor. Özel hayatında etraftaki gençlerden pek farklı giyinmiyor. Modaya uygun etekler, pantolonlar, minicik bluzlar... Demet öyle kaba saba botların, eşofmanların kadını değil. Pek abartmasa da daha kadınsı olmayı seviyor. En büyük özelliği de ekranların en güzel esmer haber spikeri oluşu. En güzel esmer haber spikeri olduğunu ona söylediğimde, "Zaten birkaç tane esmer var" diyerek muzipçe gülmüştü. Ben de kırdığım potu düzeltmek için, onu samimi olduğuma inandırmaya çalışarak, "İnan bana sarışınlar içinde de çok güzelsin" demiştim. Demet de annesine çok bağlı. Doğruyu söylemek gerekirse Selin'in annesine olan bağlılığından daha gerçek bir bağlılık bu. Neredeyse, "Bugün ne yiyeyim anne" demek için bile ona telefon ediyor. Londra'ya gittiğinde günde üç kez annesini aramış, şimdi nereye gideyim diye... Annesi de bunu hiç yadırgamayıp ciddi ciddi sorularını yanıtlıyor. Annesi devlet memuru bir tiyatro oyuncusu. Çok da başarılı bir oyuncu, ama asla ön plana çıkıp popüler olmak gibi bir isteği yok. Geçen yıl bir dizideki başrol oyuncusunun annesi rolünü aldığında bile ortalıkta görünmek istememiş, dizinin kokteyline dahi katılmamıştı.

Demet, annesinin yıllardır birlikte olduğu, ama asla aynı evde oturmadığı sevgilisini de kendine dert ortağı yapmış. Ona tüm sırlarını açıp akıl danışabiliyor. Babasına ise, bugüne dek kendisiyle ilgili hiçbir şey anlatmamış... Annesi bir başkasına âşık olup kocasını terk edince, o koca, yani Demet'in babası hemen evlenmiş barklanmış, iki tane çocuğuyla kendine yeni bir yaşam kurmuş. Demet'in küçüklüğünde, babası onu hafta sonlarında almaya bile üşenirmiş. Belki de bunu kendisini başka bir erkek için terk eden karısından intikam almak için yapmıştır. Ama zaten buluştuklarında hiç eğlenmezler, hava buram buram sıkıntı kokarmış. Babası yeni eşinden yeni çocuğu olduktan sonra uzun süre onu hiç aramamış. Demet de bunu pek dert etmemiş, annesi ile Oktay Abisinin varlığı, sıcacık dostluğu, ilgisi babasını pek aratmamış ona. Arada bir gittiği o evde kasvet basıyor, her gittiğinde bir bahane bulup çabucak o ortamdan uzaklaşıyormuş. O çocuklar, yani kardeşleri bile kendisine kardeş gibi gelmiyor şimdi.

Dürüst, açık sözlü, şeffaf, ilkeli bir kız o da Selin gibi. İkisinin de mutlu olmasını kendi kızlarımmış gibi istiyorum. Mutluluktan uçmadıklarını görüyor, üzülüyorum. Ben bile bazen, her şeye sahipler, neden mutlu olamıyorlar diyecek kadar sıradanlaşıyorum. Mutluluk sanki karar verilerek oluşan bir şey...

16

Adamın adı neydi?

Demet-Sinan-Bora

Demet ile Sinan hiç aksatmadan buluştukları cumartesi günü de birbirlerini aramadılar. Ama pazar günü Sinan dayanamayarak, Demet'e, "Bugün ne yapıyorsun" diye kuru bir telefon mesajı çekti. Hem dayanamamıştı hem de Demet'in ne kadar inatçı olduğunu biliyordu. Üstelik suçlu olan da Sinan'dı. Evet, suçluydu. Sonunda pes edip, "Kadın kucağıma oturursa yatarım" demenin ne âlemi vardı? "Asla yatmam" diyeceksin, sonuna kadar direneceksin. Soru ne kadar saçma olursa olsun, biraz akıllı bir erkek, kadının beklediği cevabı verir, onların ne tür bir cevap istediğini bilmek için de pek akıllı olmaya gerek yoktur. "Yatmam, bu konu bitti, bu kadar... Hayatımda sen varken, kadın silah bile dayasa yine de yatmam, olmaz, olamaz..." Kadın istediği cevabı almak için ısrar eder, cevabı alınca da susar, hiçbir şey olmamış gibi kaldığı yerden devam edebilir. Bunu hâlâ öğrenememesine, kışkırtmalarına kapılmasına onun duymak istemediği yanıtı vermesine kızıyordu. Kesin bir tavır almalı, başından itibaren net konuşmalıydı. Bunu yapamamıştı, o zaman suçluydu. Madem suçluydu, kendini aldatılmış bir kadın gibi hisseden Demet de gururunu ayaklar altına alıp onu arayamazdı. Aldatmaya yeltenmiş, suçlu bir erkek olarak o aramalıydı.

Düşünmeye pek alışık olmadığından aslında fark edemediği bir şey daha vardı. Sinan'a kendini suçlu hissettiren asıl neden, geçen akşam gittiği barda yaşadıklarıydı. Bir bilinçaltı suçluluğuydu bu. Geceyarısından sonra, tıklım tıklım olan barda, yanındaki kızla, kalabalıktan ötürü biraz fazla samimi olmuşlardı. Sinan bu samimiyeti yaratmak için hiçbir şey yapmamıştı, ama kız dans ederken ona dokunup duruyordu. Hatta birkaç kez, eli Sinan'ın poposuna değmişti. Kız bunu bilerek mi yapıyordu, yanlışlıkla mı bunu anlayabilmesi mümkün değildi. Gerçi erkek arkadaşlarından elle taciz eden kızların bile çok olduğunu duyuyordu, ama bu hiç başına gelmemişti, kız yanlışlıkla da dokunuyor olabilirdi. Sonra kız Sinan'ın önüne geçmiş, hiçbir şey söylemeden ellerinden tutup onunla dans etmeye başlamıştı. Ortalık çok kalabalık, çok gürültülüydü, dip dibe durduklarından zaten dans etmeye imkân yoktu, Sinan da omuzlarını hareket ettirerek dans ediyormuş gibi sallanmıştı durduğu yerde. Ama şu durumu Demet görse, kızın varlığından çok, Sinan'ın dansa katılmasına çok sinirlenirdi. Demet, Sinan'ın bu konudaki kütüklüğünü kabul etmişti, aksi bir davranış gördüğünde haklı olarak küplere binerdi.

Kız, elindeki telefonu Sinan'a doğru sallayarak, "numaranı ver" der gibi bir işaret yapmıştı. "Sen söyle" demişti Sinan da. Kız hiç itiraz etmemiş, dudaklarını Sinan'ın kulağına yapıştırarak numarasını söylemişti. Öyle bağırıyordu ki, Sinan "Sağır oldum herhalde" diye düşünmüş, kıza sinir olmuş, ama ayıp olmasın diye cebinden telefonunu çıkartıp numarayı yazmıştı. Kız yine Sinan'ın ellerinden tutup dansa başlamış, "Ara şimdi beni" diye bağırmıştı. Aramamıştı Sinan, "Sonra" diye bir işaret yapmıştı.

Küçücük, güzel bir kızdı, uzun sarı saçlı, orta boylu, incecik vücutluydu. Bu kız, boş bir evde, kucağına oturup onu öpüp okşamaya başlasa belki bir şeyler yapardı, ama bu gürültülü, sıcak atmosferde hiçbir şey ona hoş gelmiyordu. Hem kızlar artık kudurmuş gibiydiler ve Sinan'a göre bütün cazibelerini yitirmişlerdi. Her şey bu kadar kolay olunca, çaba göstermenin gereği kalmayınca... Çaba da gösteremiyordu işte insan. Acaba yirmi yıl kadar önce doğan insanların arasında kızların sayısı daha mı fazlaydı? Ne kadar çoklardı böyle.

"Evdeyim" diye kuru bir mesajla yanıtladı onu Demet. "Geleyim mi" diye yazdı Sinan. "Gel" dedi Demet.

Sinan kapıyı çaldı, bekledi, araları bozuk olduğu için, "Anahtar kullanmak kabalık olur" diye düşünüyordu. Demet kapıyı açtığında, hâlâ kırgınmış gibi buruk bir gülümseme vardı yüzünde. Sinan ona, "Ne kaçık şeysin sen" diyecekken hemen vazgeçti, çünkü o tartışmayı bir kez daha hatırlatmak istemiyordu. Hatırlattığı an, aynı şeylerin tekrarlanacağından emindi.

Sarıldılar birbirlerine.

– Özlemişim, dedi Sinan.

"Ben de" demedi Demet. Aldatılmış kadınların henüz affedememiş gerginliği vardı üzerinde.

Televizyonun karşısındaki kanepeye uzandı Sinan, Demet'i yanına çekti, birbirlerine sarıldılar, kırgın çiftler gibi hafifçe öpüştüler, bir süre sonra orada, uykuya daldılar.

Demet heyecanla uyandı, bir an haber saatini kaçırdığını sandı, Sinan'ın kolunu iterek fırladı kanepeden. Sinan da uyanmıştı:

– Geç mi kaldın? dedi heyecanla.

Demet koşarak yatak odasına gitti, blucinin üzerine gömlek ve ceketini geçirdi, saçlarını şöyle bir topladı, Sinan'a:

– Kalacak mısın, gidecek misin? dedi kapıdan çıkarken.

– Beklerim seni, dedi o da.

Demet evden çıktı. Otomobilin aynasına baktı, yüzü uykudan şişmiş gibiydi, kaşının üzerinde kocaman kırmızı bir sivilce çıkmıştı, çirkin görünüyordu, "Keşke bir şeyler sürseydim" diye düşündü.

Televizyon binasından girer girmez, makyaj odasına geçti, bir an önce şu çirkin yüzden kurtulmak istiyordu. Hızla saçı ve makyajı yapıldı, hızla haberleri okudu, hızla makyaj odasına geri döndü, hızla yüzündeki makyajı çıkarmaya koyuldu. Bu kadar ağır bir makyajla dolaşmanın, insanı zamanından önce kırıştırdığını keşfettiğinden beri, hemen temizliyordu yüzündekileri. Kaşının üzerindeki kırmızı sivilce ortaya çıktı, gözünü silmeye başladı. Tam tek gözünü tamamen temizlemişti ki kapı vuruldu, içeri yüzü tanıdık gelen bir adam girdi.

– Merhaba, ben Bora, dedi.

– Merhaba, ben de Demet.

Televizyon nedeniyle yüzleri tanınan insanlar, tanışmasalar da, tanışıyorlarmış gibi birbirlerine selam verirler. Onların merhabalaşması da böyle olmuştu.

– Programa gireceğim de, makyöz yok muydu acaba, dedi Bora.

– Sigara içmeye çıkmış olabilir, ama malzemeler burada, dedi Demet.

O sırada gözü aynaya takıldı, bir tarafı makyajlı öteki tarafı makyajsız yüzü ve kaşının üzerindeki kocaman kırmızılıkla çok tuhaf olduğunu gördü, bir an, hemen makyajsız tarafını boyamaya yeltendiyse de, bunun çok anlamsız olacağını düşündü. Aceleyle öteki tarafı silmeye başladı. Bora ne yapacağını pek anlamamıştı, öylece makyaj malzemelerine bakıyordu. Küçük sünger parçasını eline aldı, baktı, yerine bıraktı.

– Neyse bugün de böyle makyajsız katılayım, dedi.

Hafif utangaç hali Demet'in hoşuna gitmişti.

– Sakın yapmayın, herkesin yüzü makyajlıyken, sizinki çok kötü durur aralarında, dedi.

– E peki ne yapabilirim, birazdan canlı yayına gireceğiz, dedi Bora da.

Demet yerinden kalktı, her zaman, her yerde, herkes onu beğensin isterdi, ama şu anda o kadar kötü görünüyordu ki, Bora'nın onu beğenip beğenmemesi umurunda bile değildi.

– Oturun, ben bir şeyler sürüvereyim yüzünüze, dedi.

Fondötenli süngeri Bora'nın yüzüne sürmeye başladı. Gözünün altına bolca gelen fondöteni, parmak ucuyla şöyle bir aldı. Adam çok güzel kokuyordu, iyice eğildi, derin bir nefes aldı, sonra adamın bunu anlayacağını düşünerek biraz geri çekti yüzünü adamınkinden.

Bora gözlerini kısmış, gülümseyerek ona bakıyordu.

– Ne güzel kokuyorsunuz, dedi Demet'e.

– Siz de, dedi Demet.

– Gözleriniz de çok güzel, ekranda göründüğünüzden çok daha farklısınız, dedi Bora.

Demet aynaya baktı, bir gözündeki makyaj hâlâ duruyordu.

– Sol gözümü kastediyorsunuz sanırım, dedi.

– Yok... Öteki, dedi Bora da.

Fondöten Bora'nın yüzüne sürülmüş, hatta biraz çene altına bile kaydırılmıştı sünger.

– Yakanıza sürülmesin, diyordu Demet ve içgüdüsel bir hareketle işaret parmağını yakadan hafifçe içeri sokuyordu.

– Sürülsün zarar yok, dedi Bora.

Bir içgüdüsel hareket daha yaptı Demet ve Bora'nın ellerine baktı yüzük var mı diye. Sol elini tam göremedi. Adamın, bunu anladığını sanarak, konuşmaya başladı:

– Nasıl farklıyım ekrandakinden, bunu herkes söylüyor.

– Bildiğinize eminim, çok daha tatlısınız, ekranda biraz soğuk görünüyorsunuz.

Bora'nın makyajı bitmişti, Demet elinde sünger öylece duruyordu adamın yüzüne eğilmiş olarak.

– Normal hayatta da soğuk biriyimdir ben, dedi.

– Hiç sanmıyorum, diye cevap verdi Bora.

– Kirpiklerinize maskara süreyim, dedi Demet.

– Yo artık o kadar da değil, diyerek elini tuttu Bora Demet'in.

Kapı açıldı, spor programının sunucusu girdi:

– Ooo, bravo sen mi yaptın makyajı, dedi.

Sanki çok kötü bir anda, öpüşüyorken, sevişiyorken yakalanmış gibi ne yapacaklarını şaşırdılar ikisi de. Utangaçça göz göze geldiler...

– Hadi Bora, on dakikamız kaldı, teşekkürler Demet, dedi sunucu.

– Teşekkür ederim Demet Hanım, dedi Bora. Çıktılar odadan.

Telaşla içeri giren makyöze:

– Nerede kaldın, adamı palyaçoya çevirdim, neydi adı, spor programına katılan şu adam, dedi Demet.

– Bilmemki hangisini soruyorsunuz, her program farklı insanlar katılıyor, dedi makyöz de.

17

Makyajı iyi mi bakayım

Demet

Eve döndüğümde Sinan kanepeye yayılmış spor programını izliyordu. Beni görünce şöyle bir yerinde doğruldu, pazar geceleri yayınlanan, birbirinden megaloman erkeklerin çatık kaşlarıyla çok önemli şeyler söylüyorlarmışçasına bir pozisyonu saatlerce tartışıp, habire kavga ettikleri spor programlarını hiç kaçırmadan izlemesine sinir olduğum için, suçüstü yakalanmış gibi hemen başka bir kanala geçti. O bir saniyelik zaman içinde o adamı gördüm, biraz önce makyajını yaptığım adam konuşuyordu benim kocaman televizyon ekranımda.

– Dur geçme, aç bakayım bizim kanalı, adamın makyajı nasıl olmuş göreyim, dedim.

– Hangi adamın? diyerek düğmeye bastı. Hâlâ o adam konuşuyordu. Sakin bir ses tonu vardı, gülerek bir şeyler anlatıyordu.

– Biraz koyu olmuş değil mi? diye mırıldandım.

– Ne koyu olmuş? dedi Sinan.

– Adamın makyajını ben yaptım da, makyöz yoktu, nasıl olmuş diye merak ettim.

Kanepeye oturdum, dikkatle izlemeye başladım.

– Kim bu adam, futbolcu mu? diye sordum.

Sinan kısa bir süre merakla bana baktı:

– Ne futbolcusu Demet, Bora Eren spor yazarı, ilginç yorumları vardır, bazen gazeteyi sırf onun için alırım, o da Fenerli dedi. Ardından hemen, iyi olmuş makyajı, adam sayende yakışıklı görünüyor, diye ekledi.

– Yakışıklı değil mi sence? diye sordum.

– Bu yakışıklı mı sence, değil, ama tipik, sevimli bir adam, dedi Sinan da ve hemen başka bir kanala geçti.

Kumanda aletini alıp yine spor programına dönmek istedim, nedense bunu yapamadım. Adamın göz altları kırışık ya da torbalanmış gibi duruyordu ve bu benim yaptığım makyaj yüzünden olabilirdi. İyice bakmak istiyordum yüzüne, ama yapamadım. Sinan'a "Niçin spor programını izlemiyorsun?" diye de soramadım.

Tekrar o programa geri dönmek isteyip de dönemediğim için, üstelik dönememem için ortada hiçbir neden yokken bunu yapamadığımdan, Sinan'a sinirleniyordum. Adamın makyajını yaptığım için kıskanmış olamazdı, zaten kıskanmış gibi bir tavrı da yoktu, kendi yaptığım makyajı görmek istemem de çok doğal bir şeydi. Öyleyse neden bizim kanalın düğmesine basamıyordum? Üstelik bakmak için içim içimi yerken...

Kumandayı aldım, bir numaradan itibaren kanalları geçmeye başladım, spor programına geldiğimde Bora yoktu artık, takımların puan durumları yayınlanıyordu. Bir süre durdum, geçtim.

– Bir dakika, geri dönsene, şu puanlara bakayım, dedi Sinan.

Bastım yine bizim kanalın düğmesine, puan durumu bitmişti, programın yöneticisi, "Evet Bora Beşiktaş'ın durumuna ne diyorsun?" diye soruyordu...

Bora göründü. "Aslında Beşiktaş bu yılın en iyi futbolunu oynadı; ama şanssızdılar" diye konuşmaya başladı. Çok kendinden emin, çok ukala bir tavrı vardı. Anlattıklarını futbolun f'sinden anlamayan ben bile bulup söyleyebilirdim. Teknik direktör bilmem kimi oyundan erken çıkartmış, bilmemkimi geç koymuş... Futbolcunun biri iyi koşmamış, karşı takım on kişi kaldığı halde bunu değerlendirememiş...

"Bütün bunlara rağmen bu takım nasıl sezonun en iyi oyununu oynamış" dedim kendi kendime.

– Doğru söylüyor iyiydi gerçekten, dedi Sinan.

– Bu kadar basit şeyler söyleyip, bu kadar önemli adam havası yapmayı nasıl beceriyorsunuz şaşıyorum Sinan, dedim.

– Basit olsa bu kadar insan ilgilenir miydi futbolla, dedi o da.

Cevap vermedim. Versem de bir işe yaramazdı, futbolu eleştiren sevimsiz kadınlar arasındaydım zaten ve bunu tekrarlamak istemiyordum bu gece.

Artık başkası konuşuyordu, o da Beşiktaş'ın iyi oynamadığını iddia ediyordu.

– Buyurun bakalım, alt tarafı bir oyun bu, maç da geçmiş bitmiş, iyi oynasa ne olur, kötü oynasa ne olur, bir erkeğin kendine önemli süsü vermesinin en kolay ve en keyifli yolu bu işte... Bırak Allah aşkına, yatalım, diyerek televizyonu kapattım.

Yatar yatmaz Sinan üstüme yattı. Hani yatakta yüzükoyun yatar gibi üstüme yattı olanca ağırlığıyla.

– Sen kilo mu aldın? dedim.

– Hayır, dedi beni öperken.

Kafam başka şeylere takılıyordu. Bir dolu şeye. Sinan'ın sırtı ıslaktı ve nedense çok ağırdı.

Bitsin istedim, çabucak inledim... Aslında biraz acele etmiştim. O da inledi sessizce ve bitti.

18

Tek sorun para

Sinan

Şu para sorunları olmasa... Her şey ne kadar iyi gidecek... Ne kadar borçlanmışız. Öde öde bitmiyor. Demet'e de çok borcum var. Ama bu, en sona kalabilir... Demet'in ihtiyacı yok nasıl olsa. Acaba bir gün gelecek, kimsenin ağız kokusunu çekmeden, yani çalışmadan yaşayabilecek miyim? Nefret ediyorum para kazanmak uğruna insanları hoşnut etmeye çalışmaktan. Hele hesap sormuyorlar mı? En kötüsü de hizmet sektörü. Bir sürü salağı memnun etmek zorundasın, üstelik bunu yaparken de kibar olmalısın. En aptal soruya bile sabırla cevap vermelisin. Bilgisayar kullanmayı bile beceremiyorlar. En basit şeyi defalarca soruyorlar, sonra unutup bu kez telefonla soruyorlar. Telefon bağlantısını kurmadan, "Neden İnternet'e giremiyorum, olmamış bu" diye arıyorlar, ben de bu aptallara hizmet etmek zorundayım para uğruna. Loto, toto, piyango, İnternet bahisleri ne bulursam oynuyorum. Çok para kazanmak istiyorum, ama çalışmadan. Demet'in işi ne güzel... Gidiyor, önüne gelen yazıları okuyor ve işi bitiyor... Oh ne âlâ... Neyse bugünlerde onun keyfi de iyi. O zaman benim de iyi.

19

Tekdüze ve yapay bir ses

Selin-Bora

– Madem bu gece maç yoktu, keşke sinemaya gitseydik, dedi Selin.

– Evde oturmayı da özledim, kırk yılda bir hafta sonu evdeyiz ne güzel işte, dedi Bora.

Selin'in hoşuna gitti bu. Hoşuna giden "özledim" sözcüğüydü. Uzun süredir bu sözcüğü duymamıştı ve Bora'nın Selin'i de ilgilendiren bir şeyi, evi özledim demesi onu mutlu etti. Evi özlemek, Selin'i özlemek anlamına da gelebilirdi. Ev özlenir mi hiç?

Bora televizyonun karşısındaki kanepeye uzandı, televizyon kumandasını eline aldı, kanalları taramaya başladı. Her kanalda haber saatiydi. Özel bir kanalı arıyor gibi görünmüyordu. Hep aynı şeylerden sıkılmışçasına bakıyor, hemen geçiyordu. Birden durdu, ekranda Demet görünmüştü, izlemeye başladı. Demet'in o geceki bir gözü boyalı, öteki gözü makyajsız görüntüsü geldi aklına. Güldü. Hiç ekranda göründüğü gibi değildi gerçekten. Belki, haber okurken kullandığı tekdüze ses, ne söylerse söylesin sesinde en ufak bir iniş çıkış olmaması, bakışlarındaki donukluk, en acıklı haberi bile okusa yüzünde hiçbir duygu belirtisi olmaması ona bu soğuk ifadeyi veriyordu. İnsan normalde böyle konuşmazdı, konuşsa çok tuhaf olurdu zaten.

Bora Demet'i o kadar dikkatle izliyordu ki, ekrandaki Demet de kendisi gibi bir tuhaf geldi gözüne. Böylesine monoton, ifadesiz bir konuşma aslında ne kadar yapaydı. Tüm haber spikerleri aynıydı, öyle olmaları gerekiyordu, ama şimdi, ilk kez birini bu kadar dikkatle izliyordu ve böyle dikkat edince de bu yapaylık insana garip geliyordu. Yoksa öylesine oturup haberleri izlediğinde hiçbir spiker ona yapay gelmemişti.

Demet'in yüzüne fondöteni sürerkenki halini, sesini hatırlamaya çalıştı. Acaba orada da yapay mıydı? Yoo, aksine o sırada çok doğal, oldukça sevimliydi. Şu haliyle hiç mi hiç ilgisi yoktu. Sesi de böyle kurulu bebek gibi çıkmıyordu. Hatta, o tek gözü boyalı yüzüyle, şu görüntüsünden bile daha güzeldi. Ne kadar çok makyaj vardı yüzünde.

Selin masaya tabakları koyarken:

– Ne sapık adamlar var yeryüzünde, şu hale bak, olacak şey mi bu, dedi.

Bora cevap vermedi.

– Nasıl bakıyorsun bu vahşete, ben artık hiç izlemiyorum bunları, kapat şunu n'olur, dedi Selin.

– Ne olmuş ki? dedi Bora. Haberleri izlemediğini fark etti birden.

– Görmüyor musun, adamı nasıl linç etmişler, çok mu hoşuna gidiyor bunlar, dedi Selin.

– Evet, çok korkunç, dedi Bora da. O anda dinlemeye başlamıştı, Demet mahalleli tarafından linç edilen bir adamdan söz ediyordu.

Bora öylesine Demet'in görüntüsüne, sesine yoğunlaşmıştı ki, ne anlattığının farkına bile varmamıştı. Sonunda Demet'in yüzünde hafif bir duygu belirtisi gördü, haberin görüntüsünden sonra, sanki Demet'in dudakları "Hiç böyle şey olur mu" der gibi kıvrılmış, kaşları da aynı hafiflikte yukarı doğru kalkıp inmişti. Belki saniyenin onda biri kadar sürmüştü bütün bunlar, ama Bora bunu yakaladı. O da saniyenin onda biri kadar bir süre içinde, "Keşke Demet'in telefonunu bilseydim, arayıp, 'Yüzünde duygu belirtisi gördüm' deseydim" diye düşündü.

– Hadi sofraya gel, dedi Selin.

– Dur şu haberler bitsin, dedi Bora.

– Otur, sesini duyarsın eti soğutma, dedi Selin.

Bora isteksizce yerinden kalktı. Oysa o haberleri seyretmek istiyordu, sesini duymak değil. Haberleri izlemek, bitinceye kadar yerinden kalkmamak ya da tabağını alıp televizyonun karşısına geçmek istiyordu. Bu kadar sıradan bir isteği yapamadan, yemek masasına geçip oturmak canını sıkıyordu. Böylesine basit bir isteği söyleyememek ve istediğinden vazgeçmek çok can sıkıcı bir durumdu. Televizyon izlemek istiyor, bu isteğini karısına söyleyemiyor ve bunun için de için için sinirleniyordu.

"Nasıl iş bu" diye kendi kendine söylendi. "Neden haberleri izlemek istediğim halde bunu yapamıyorum? Ortada saklayacak hiçbir şey yokken, varmış gibi davranıp, suçlu gibi istediğim şeyi yapamıyorum?"

Sofraya geldiğinde gergindi.

– Ne o kaşlarını çatmış oturuyorsun. Fener'i yenilmiş spor yazarı gibisin, diye şakalaşmaya çalıştı Selin.

– Yok canım, ne alakası var, dedi Bora.

– Baba, baba, baba, diye koşarak Murat Can geldi yanına.

Bora oğlunu kucağına aldı:

– Aslanım benim, Fenerlim, koçum, diye mıncıklayıp, yanaklarını, gıdısını, göbeğini öpmeye başladı.

Murat Can, Bora'nın küçültülmüş bir kopyası gibiydi. Her gören hayret ediyordu bu benzerliğe. Selin'e hiçbir tarafı benzemediği için, "Sen bunu başka kadından yaptın galiba" diye takılıyorlardı Bora'ya.

Anne, baba, kardeş, eş, sevgili... Hiçbir duyguya benzemiyordu oğluna duyduğu sevgi. Oğlu doğana kadar hayatta vazgeçemediği hiçbir şey yoktu ve bu yüzden kendini çok özgür hissediyordu. Oysa şimdi "Canımın bir parçası" diye sevdiği birisi vardı ve insan canından vazgeçemezdi. Özgürlüğünü kendi iradesiyle rafa kaldırmıştı ve çok mutluydu bundan ötürü.

20

İçime bir şey giymedim

Selin

Bora'nın eve normal yemek saatinde gelebildiği akşamlar o kadar az ki. Yabancı maçlar yüzünden çok yolculuk yapıyor. Lig maçları da hafta sonlarına rastlıyor. Hafta içi de genellikle ertesi günün gazetesinin basılmasını beklediği için gazeteden geç çıkıyor. "Ne olur şu gazeteyi ertesi sabah görsen" diyorum. Ya bir hata çıkarsaymış.

Meslek hayatım boyunca bu kadar farklı insanla karşılaştım, işine bu kadar önem verip yücelten, işiyle böylesine özdeşleşen başka bir meslek grubu görmedim. Pek çok gazeteciyle tanıştım, hepsi de Bora gibi. Sanki onlar olmazsa hiçbir iş yürümez, hayat durur. İster ekonomist, ister magazinci, ister köşe yazarı, kim olurlarsa olsunlar, öyle bir havaları var ki, onlarsız hiçbir şey düzelemez bu ülkede. Bir gün bile yazmamaları insanlık adına bir kayıptır. O yazmazsa başkası yazar oysa, değil mi? Hayır... Başkası onlar gibi olamaz, mutlaka bir yer bulup yazmaları gerekir. Başbakana şunu demişler, bakanlara şunu önermişler, açılışlar, galalar, davetler, dünyanın en önemli kişileriyle tanışmışlar, bir sürü ünlü kişiye akıl da vermişler üstelik. Zaten herkes onlardan çekiniyor. Belki gerçekten önemli insanlar onlar ama, çok abartıyorlar durumlarını. Bora bir gün işsiz kalsa ne olur bunu düşünmek bile istemiyorum. Gazeteden ayrılmamak için tatile bile çıkmayan bir adam o. Gazeteciliği sona erse, işten çıkarılsa mesela, bunalıma girer, hasta olur, kendini bir hiç hisseder, o yok oluşa katlanamaz. Zaten yapabileceği başka bir şey de yok. Erkekler unvanlarını kaybettiklerinde büyük bir bunalıma giriyorlar. Çünkü onlar o kendilerine bahşedilmiş unvanlarla, masalarla, koltuklarla, sekreterle var oluyorlar. Bunları kendilerine bahşeden kişi bir gün geri de alabilir, bunu hiç düşünmüyorlar. Asıl var olmak, bunlar geri alındığında da, yok olmamaktır.

Bu yüzden ödüm patlıyor Bora'ın başına bir şey gelecek diye. O yüzden Bora'ya pek karışmıyorum. Karışsaydım ne değişecekti ki?

Çok çalışıyorlar, çok yoruluyorlar, günde beş yüz tane mektup okuyorlar. Doğal olarak, eve geç geliyorlar, yorgun oluyorlar, çok geziyorlar, barlara takılıyorlar gibi nedenlerle onları eleştirmek dünyanın en büyük saçmalığı. Bunu budalalar yapar ancak. Hiçbir şeyden anlamayan, salak kadınlar, gazeteci eşlerine sitem ederler. Biraz olgun bir insan, bu yüce mesleğin bir bireyine asla sitem etmez. Onlar olmazsa önce gazete batar, sonra Türkiye. Onlar olmazsa ekonomi de çöker, spor da, siyaset de.

Gazeteci eşi kadınlar da yüzlerinde mutlu bir gülümseme, asla yakınmadan, adamın gönlü olduğunda eşini koluna takıp gidilen davetlerde mutlu olup, ertesi günü tanıştığı ünlü kişileri eşine dostuna anlatarak gül gibi yaşayıp gidiyorlar.

Ben de böyleyim. Evet, sanırım böyleyim. Gazeteci olmak gibi gazeteci eşi olmak da bir ayrıcalık. Hele tanınmış bir gazeteciyse... Bakkaldan markete, her gittiği yerde insanlar gelip, "Ne olacak bu memleketin hali" diye sorunca, tanınmış olmanın verdiği gururla bir konuşmaları var ki. Bora'ya, "Ne olacak bu Fenerbahçe'nin hali" diye soruluyor. O da hiç sıkılmadan her soruyu yanıtlıyor. Doğrusu hoş bir şey bu. Onu eleştirmeye hiç hakkım yok. Hiçbir zaman değiştirmek için de çabalamadım. Bu yaşta çok iyi bir noktaya gelmiş genç bir adam o, onu yaptıklarından vazgeçirmeye çalışmak hiçbir işe yaramazdı. Yolcuları, eve geç gelmesi, arkadaşlarıyla orda burda takılmaları önce hoşuma gitmiyordu elbette, ama artık alıştım. Çünkü iyi bir insan o, bunu biliyorum.

Bu kez saçımın röflesi biraz fazla kaçtı. Saçımın her tarafı sarı oldu, boya gibi. Bora hemen fark etti. "Nasıl olmuş?" dediğimde:

– Çok fazla sarı olmuş, eski hali daha güzeldi, nedir bu kadınların sarışın olma merakı hiç anlamıyorum, dedi.

– Erkeklerde sarışın kadın merakı var da ondan, dedim ben de.

– Sen saçını erkekler beğensin diye mi boyatıyorsun? dedi sinirlenmiş ve bunu saklamayan bir sesle.

– Bu saç boya değil, röfle, ben de saçımı başkaları için değil, sen beğen diye böyle yapıyorum, dedim.

– Ben sarışın meraklısı bir erkek değilim, sen de bana bir kez bile sormadın saçının rengini nasıl yapacağını, dedi.

Biraz şaşırmıştım ve bu tavrının olumlu mu, olumsuz mu olduğunu kestirememiştim. Benimle ilgileniyor muydu, yoksa değişiklik yapmamı istemiyor, fark edilen bir kadın olmamdan hoşlanmıyor, kıskanıyor muydu? Benden hoşnut muydu yani?

O gece tuhaf bir şey yaptım. O güne dek hiç yapmadığım ve aslında hiç bana uymayan bir şey. Sabahlığımın içine bir şey giymeden gelip kanepede yanına oturdum. Bakmadı bile. Sonra bir ara hafifçe önüm açıldı, açılmadı da ben açılmasını sağladım öne doğru eğilerek, gördü içime bir şey giymediğimi. Bir eliyle yakamı kapatarak:

– Üşüyeceksin, dedi.

Hiçbir şey hissetmemiş, hiçbir şey anlamamış, hiç etkilenmemişti. Büyük bir olasılıkla geceliğimi giymeyi unuttuğumu sanmıştır. Eğer birazcık düşünebildiyse tabiî.

Birden kendimi çok kötü hissettim. O aptal kadın dergilerini okuyarak, kocanın ilgisini çekmek metotlarını uygulayan çaresiz, salak kadınlara benziyordum o anda. Neden yapmıştım ki bunu? Ya da madem yapmıştım neden devamını getirmemiştim?

O anda ayağa kalkıp eteklerimi açarak erotik bir dansa başlayabilirdim önünde... Sonra da iki bacağımı açarak kucağına oturabilirdim. Ya da kanepede ona doğru eğilip, elini göğsümden içeri sokarak baygın gözlerle bakabilirdim yüzüne. Işıkları söndürüp mumları yakar, içinden vücudumun göründüğü sabahlığımla bir kedi gibi ona yaklaşarak, pantolonunun fermuarını yavaş hareketlerle açmaya başlar, ağzımla onu uyarabilirdim. Hafif bir müzik koyup elinden tutarak dansa kaldırabilir, bedenimi onunkine yaslayıp çenesini, boynunu öperken, onu okşamaya başlayabilirdim. Evet, bunları yapabilir, üstelik de çok keyif alabilirdim.

Yapmadım... Yapamadım değil, yapmadım. O sabahlığın içine iç çamaşırı giymemekle yeterince salak davranmıştım ve bunu da niçin yaptığımı anlayamıyordum.

Bunlardan bir tanesini yapsaydım ne olurdu acaba? Aslında ne olabileceğini tahmin ettiğim için yapmamıştım tabiî.

Düşünebiliyor musunuz, baygın gözlerle pantolonunun fermuarını açmak için uğraşan bir kadına, ifadesiz bir suratla "Üşüyeceksin" diyen bir adamı.

21

Makyaj odasında karşılaşsak
Bora

Selin neden o gece yanıma geldiğinde içine bir şey giymemişti? Bir şey mi anlatmak istiyordu? Benden ne bekliyordu? O anda kalkıp ışıkları söndürmemi, o kanepede onunla sevişmemi mi? Filmlerdeki gibi hani. Kadınlar böyle şeylerden hoşlanıyorlar. Bunu yapmalı mıydım? Nasıl yapabilirdim? Ben de Richard Gere değilim ya. O an aklıma bile gelmedi. Onunla yatak dışında bir yerlerde sevişmeyeli o kadar çok oldu ki. Üstelik içeride Murat Can uyuyor. Bazen onu kendime o kadar yakın buluyorum ki... O kadar yakın ki... Sanki bir an gelecek... Uzun yıllar sonra o an gelecek ve ona elimi bile süremeyeceğim. O kadar yakın olacağım... Bizim Aykut gibi. Bir keresinde karısıyla sevişirken onunla asla öpüşemediğini söylemişti. "Karım sanki çok yakın bir akrabam gibi, onunla o kadar çok şeyi paylaşıyoruz ki, sevişmek olmazsa olmaz bir kural, ama ateşli bir şekilde öpüşmek garibime gidiyor, içimden gelmiyor, komik buluyorum" demişti.

Karısı da çok uzun aralıklarla ve tekdüze sevişmelerden sonra "Senden geçti zaten artık" diyordu ona. Sonra bir gün Aykut kendisinden çok genç bir kıza âşık oldu. Onunla birlikteyken günde beş kez sevişiyorlardı. Hatta bir seferinde eve gidip karısıyla da sevişmişti. Genç sevgilisi onun gücüne hayrandı. Aykut bana dedi ki: "Eğer ömür boyu karımla sevişecek olsaydım, bu kızı tanımasaydım, ben de kendi erkekliğim bu kadarmış sanacaktım, ama değilmiş çok şükür."

Şimdilerde ben de bunu anlamaya başladım. İnsanın karısıyla olan o tuhaf yakınlığını... Öyle bir yakınlık ki bu, orada şehvete yer yok.

Bu hafta sonu o spor programına tekrar gideceğim. Çağırmadılar beni, iki hafta üst üste aynı kişiyi çağırmıyorlar zaten, ama gideceğim.

Nasıl gideceğim? Arayıp, "Söyleyeceğim çok önemli şeyler var, ben yine katılmak istiyorum programınıza" desem, hayır demezler bana. Ama söyleyeceğim çok önemli şeyler ne olabilir? Buluruz bir şeyler. Ararım bizim hocayı, bir şeyler sorarım telefonda, sonra da bunları açıklarım... Ne bileyim yahu... Katılayım da gerisini sonra düşünürüz.

Demet'i tekrar görmek istiyorum. Aklıma takıldı bir kez. Fena takıldı hem. Onu görmek istiyorum. Olmadık yerde yüzü gözümün önüne geliyor. Aslında geçen hafta olanlar büyük bir şanstı, ama kaçırdık işte. Bu hafta da makyajı bana o yapacak değil ya. Ama en azından onu saat kaçta, nerede bulacağımı biliyorum. Bir kez daha göreyim bakalım neler olacak?

İstesem telefonunu bulurum bizim televizyon servisinden. Ama nasıl arayacağım, ne diyeceğim telefonda ona? "Sizinle görüşmek istiyorum" mu? Kesin tersler kız beni. "Ne görüşeceksiniz?" dese o soğuk ses tonuyla, ne cevap verebilirim? Hiç, kem küm edecektim arasaydım... İyi ki yapmadım.

Şimdi oraya giderim, makyaj odasında karşılaşıp konuşuruz. Nasıl olsa tanışıyoruz ya. Daha doğal olur her şey.

Dur bakalım önce şu teknik direktörü arayalım, umarım çıkar karşıma, birkaç soru soralım ona. Sonra da spor programını arayayım. Bana, gelme gerek yok demelerine imkân yok. Mutlaka gel diyeceklerdir. Gerisi kolay. Ama buraya kadar olanı zor.

Acaba kızı televizyonun kapısında mı beklesem? Haberlerin bitiş saati belli. Peki karşılaştığımızda ne diyeceğim ona? Aslında, "Geçiyordum da size rastladım" desem, sevimli olabilir belki.

Yok canım. En iyisi makyaj odasında karşılaşmak, bu en doğalı.

Kaçtı bakalım antrenörün telefonu.

22

Keder ve zevk iç içe

Güler

Demet ve Selin'le çok yakın dost olduğumuz için onların erkeklerini de tanıyormuşum, dost olmuşum kadar iyi biliyorum. O nedenle onların düşünce biçimlerini kafamda yaratabiliyorum. Zaten hiçbir şeyi saklamadan anlatıyorlar bana. Bir keresinde Sinan'la tanışmıştım. Alışveriş merkezinde üçümüz kahve içmiştik. Yakışıklı bir çocuk, uzun boylu, yapılı, yüz hatları çok muntazam, iyi giyimli, kibar... Ama bir şeyler eksik. Az konuşuyor, esprilere pek içten gülmüyor... Sanırım karizmatik değil. Neyse bu karizma, Sinan'da yok işte. Yakışıklılığı çok çarpıcı, bir yere girdiğinde dönüp bakıyorsunuz, ama masanıza oturup konuşmaya başladığında, yakışıklılığını görmemeye başlıyorsunuz. Hiçbir aykırılık, hiçbir tuhaflık, aptalca bir yan olmamasına karşın, etkileyici değil.

Bora daha hareketli, daha konuşkan. O da boylu poslu bir genç, ama yüzü Sinan kadar güzel değil. Dolgun dudakları, pırıl pırıl dişleri var, elleri de çok güzel, ama güzel ya da yakışıklı diyemezsiniz, hoş ve cazip diyebilirsiniz ona. Bir yere girdiğinde dönüp bakmazsınız Sinan gibi, ancak masaya oturduktan sonra ilgilenmeye başlarsınız Bora'yla. O, karizmatik bir erkek, karizması ekrandan bile yansıyabiliyor insana. Karizmayı sanırım insanın kendine duyduğu güven oluşturuyor. Ne kadınlar biliyorum, hiç güzel olmayan, ama kendilerine güveni öyle bir yansıyor ki çevreye, herkes etkileniyor onlardan. Ben ise, sadece kalçalarım geniş diye suçluymuşum gibi boynum bükük, başım eğik duruyorum her yerde. "Aklını kullan" diyorum kendime, olmuyor, yapamıyorum. Hatta belki de, kendine o denli güvenebilmek için

74

biraz akılsız olmak gerekiyor. Yılmaz'ı düşünüyorum da, o da karizmatik erkekler sınıfına girebilirdi. Hem yakışıklı hem çekiciydi o. Neşeliydi bir defa, güldürürdü, en önemlisi gülmesini bilirdi, sizi dinler, esprinizi anlar, gülerdi. Bu davranışı karşısındaki insana büyük bir güven verirdi. Onun yanında güvenliydim ben.

Yatağın üzerine bir vinç kurmuştuk, bir süre sonra o vinçle koca bedenini kaldırıp tekerlekli sandalyeye oturtabiliyorduk. Orada oturup öylece bize bakıyordu. Sanki iyileşiyor gibiydi. Gözleri bir bebeğinki kadar umutlu, hatta neşeli bakıyordu. Bir şeyler söylemeye çalışıyordu, ama hiçbir şey anlayamıyorduk önceleri. Sonralarıysa ben ağzından çıkan her homurtunun anlamını çözmeye başlamıştım. "Buraya gel, su ver, mama istiyorum, uyuyacağım..."

Evet mama. Ona mama yediriyordum yemek değil. O benim otuzlu yaşlarında, bir doksan metre boyunda, doksan beş kiloluk bebeğimdi artık. Ondan kurtulmak bir yana, onsuz bir hayat düşünemiyordum. Kimse de bana akıl vermeye kalkışmıyordu. Hastaneye, bakımevine yatırmak, annesine götürmek, bir bakıcı tutup boşanmak gibi... Bebeğim ve ben mutluyduk, bunu anlamışlardı, açıkça görebiliyorlardı.

İnsanların çocuklarına nasıl düşkün olabileceğini bu sayede anlamıştım. Eve koşa koşa dönüyordum. Ona bir şey olacak diye çok korkuyordum. O evin içinde benimle, dışarıdaki tehlikelerden uzak, güvende diye mutlu oluyordum.

Bir gün, tekerlekli sandalyeye oturabildiği, gülebildiği, bir iyileşme gözlediğimiz o aylarda, çok garip bir şey oldu. Onu yatağında soymuş, sabunlu bezle vücudunu siliyordum. Kıpırdamaya başladı sanki vücudu, içinde bir şeyler canlanıyor gibiydi, cinselliği harekete geçiyordu. Sabunlu bezle siliyor, ovuyordum bacak aralarını. O ise hareketleniyor, hareketleniyor, büyüyordu. Tıpkı ilk günlerdeki gibi olağanüstü erkekliğiyle önümde yatıyordu.

Göz göze geldik. Belli belirsiz gülümsüyordu. Ben anlıyordum güldüğünü. Gözleriyle bana hadi diyordu sanki. Hadi, hadi, bu fırsatı kaçırma. Gözlerinin içine baka baka sabunlu bezi sürmeye devam ediyordum. İnanamıyordum, ellerimin arasında olan bitene. Gözleri gözlerime yapışmıştı, ısrarla bakıyordu... Hadi... Elbiselerimi parçalarcasına çıkarmaya başladım. Sanki beni o soyuyordu. Üzerine uzandım... Aşkım, erkeğim, bebeğim, özleminden çıldırdığım erkek benim altımdaydı artık... Ve içimdeydi işte... Öyle bir andı ki bu... Öyle inanılmaz, öyle olağanüstüydü ki... Ben hareket ediyordum o da sanki elleriyle bedenimi sarıyor, beni okşuyor, eskisi gibi hareket ediyordu. Göz gözeydik, onu öpüyordum, onun da beni öptüğünü hissediyordum. Onun üzerinde saatlerce kaldım gibi geliyor bana şimdi... İniltilerim, bağırtılarım onunkilere karışıyordu sanki. Duyuyordum... Onun içinde oluşan fırtınaları, iniltileri duyuyordum.

Saatlerce inanılmaz büyük bir zevkle, müthiş bir kederi birlikte yaşadım.

Mutluluğun ve mutsuzluğun, ıstırabın ve keyfin, şehvetin ve şefkatin, suçluluğun ve kararlılığın, utancın ve pervasızlığın, zevk almanın ve acı çekmenin, kederin ve sevincin böylesine bir arada olduğu başka bir an olamazdı.

Bu olağanüstü duyguların içinden çıktıktan sonra, onun gözlerindeki ifadeyi ise hiç unutamadım. O dehşet verici umutsuzluk ve kederle, o tanımlanamayacak kadar büyük sevgiyi ve mutluluğu gördüm gözlerinde. O an yaşadığım duygularım, hep içimde kaldı, kimi zaman utançla, beynimden atıp yok etmek istedim, kimi zaman da bunu en çok onun istediğini bildiğimden, sevgili anılarımın en iyilerinin arasına koyup sık sık düşündüm.

Hayat sanıldığı gibi değil. İçine daldığınızda hiçbir şey o kadar zor, kötü, iyi ya da güzel olmuyor. İnsan, yaşamak zorunda kaldığı şeylere hemen uyum sağlıyor, alışıyor. Hatta herkesin çok ağır, çok kötü, çok acı bulduğu durumlarda bile mutlu olmayı başarabiliyor. Mutlu olmasa bile iyi olmayı sürdürebiliyor.

Otuz iki yaşındaydım kaza olduğunda. Ondan sonraki sekiz yıl içinde de onu sevdim, ona baktım, onu doyurdum, onu temizledim. Bu, benim hayatımdı, kendime acımıyor, bana acınmasını istemiyordum, ama dışarıdan bakanların benim iyi olduğumu anlamaları da mümkün değildi.

Şimdi ben... Bu durumda... Demet ve Selin'e mutluluk üzerine söylevler çekersem acaba yanlışı mı doğruyu mu anlatırım? İnsanların çok büyük acılarla karşılaştıklarını, zorlu savaşlar verdiklerini, aslında onların yaşamlarında ciddiye alınacak bir durum olmadığını anlatsam, Bora çocuğu doktora götürmese ne olur, Demet mesleğinde haksızlıklara uğrasa ne çıkar, bunlar için mutsuz olunur mu hiç desem, doğru bir şey mi yapmış olurum? Asla inandırıcı olamam... Beni anlayışla dinlerler, haklısın derler, ama yine kendi dünyalarına dönüp en küçük şey yüzünden kederlenmeyi sürdürürler.

Herkesin üzülecek ve mutsuz olacak bir şeyleri var. Onlarsız olmuyor. İnsanlar sıkıntıyla, kederle, acıyla var oluyorlar. Sanki iyiyi fark edebilmeleri için, onlara mutsuzluk gerekli... Aslında bu kadar sığ ve saflar. Ama öyleler.

Ben de bu yüzden Demet'e de Selin'e de mutluluk üzerine öğüt vermiyorum. Öykümü biraz biliyorlar ve bana için için acıyorlar. Benim Yılmaz'la birlikte olduğum her dakika içinde ne denli iyi olduğumu anlamalarına imkân yok. Benim de anlatmak gibi bir niyetim yok.

Çeksinler acılarını...

23

İyi yayınlar

Demet-Bora

Her şey o kadar iyi gitti ki... Bora'nın yaptığı plan tıkır tıkır işledi. Teknik direktöre kolayca ulaşmış, istediği soruların yanıtını almıştı. Pek önemli şeyler değildi bunlar, ama o incir çekirdeğini doldurmayacak konular arasında pekâlâ işe yarardı. Spor programının yöneticisi de hiç düşünmeden "Tabiî Boracığım, memnun oluruz gelirsen" demişti.

Demet ise o günlerde mutluluktan uçuyordu.

Birkaç gün önce kanalın kafeteryasında genel müdürle karşılaştı. Koskoca genel müdür, o erişilmez insan, kafeteryada oturmuş çay içiyordu. Onu hiç ortalıkta görmezlerdi. Kapalı kapılar ardındaki, daha şık, daha görkemli, daha ağır, daha ahşap, daha lambrili bölmede, sekreterler, asistanlar ve birkaç yöneticiyle başka bir dünyadaymışçasına ağır ve ciddi yaşardı onlar. Onun için koskoca televizyon kanalının genel müdürünü, personelin gittiği kafeteryada çay içerken görmek bir mucizeydi Demet için.

Kahve fincanı elinde şöyle bir durdu önce, nereye oturacağını düşünüyordu. Adamın yanına gitmek için içinde derin bir istek vardı, ama bunun doğru mu, yanlış mı olacağına karar veremiyordu bir türlü. Bir yanı, "Ne var bunda, genel müdürse müdür, Tanrı değil ya, git yanına, merhaba de otur" derken, öteki yanı, "Adam kırk yılda bir ortalığa çıkmış, fırsatçılar gibi yanına gidip rahatsız etmek doğru olmaz" diyordu. Düşünceler beyninden hızla geçiyor, karar veremiyordu. Bu fırsatı değerlendirmeyi çok istemesine karşın, fırsatçı olmamak duygusu ağır bastı ve adamın arkasındaki masaya yöneldi. Selam vererek yanından geçtiğinde harika bir şey oldu ve genel müdür:

– Gelsene Demet, dedi.

"Allah'tan başka şey isteseydim" diye düşündü, ama şu anda isteyeceği tek şey de buydu. "Nerelerdesin, nasılsın, hiç ortalıkta görünmüyorsun" gibi sıradan bir konuşma başladı. Demet de ona:

– Siz hiç buralarda görünmezdiniz, dedi.

– Kafamı kaşıyacak vaktim yok. Konuşmayı hiç istemediğim bir milletvekili çat kapı gelmiş, biz de yok dedirttik, ama içeri girmiş, yukarı çıkıyormuş, ben de kaçtım, dedi müdür. Hayat nasıl gidiyor memnun musun? diye sordu sonra da.

Demet, düşündüklerini söylemek için randevu alarak gitmek istediği adamla karşı karşıyaydı ve Allah kahretsin o anda ne yapması gerektiğini bilemiyordu. Yine beyninden düşünceler hızla akmaya başladı. Aklındakileri hemen sıralamaya başlamalı mıydı? Adam laf olsun diye bir soru sorunca, bunu ciddiye alıp öyle mi yanıtlamalıydı. Yoksa o da laf olsun diye, "Memnunum" mu demeliydi? Düşünceler son hızla oynaştı, kaynaştı beyninin içinde ve biri, Demet'in itirazlarına rağmen öne çıktı:

– Biliyorsunuz pek memnun değilim, dedi.

Dediği an pişman oldu. Hiç, ama hiç gerek yoktu bu ortamda adamla ciddi bir şeyler konuşmaya. Ter bastı aniden. Adamın yüzü asılacak, keyfi kaçacak sanıyordu. Ama hiç ummadığı bir şey oldu ve genel müdür:

– Ya öyle mi neden? diye sordu.

Demet hâlâ hiçbir şey söylemek istemiyor, bunun doğru olmayacağını düşünüyordu, şu kafeteryada, şu masada, ne söylenebilirdi ki, bu ortamda söyleyeceklerini adamın ciddiye alması mümkün müydü, sıkıntıdan ölmek üzereydi, ona göre sanki adam da sıkıntıdan ölmek üzereydi. Karar vermeliydi ya "Yok bir şey başka bir zaman konuşuruz" diyecekti ya da açıkça içindekileri söyleyecekti. Birden annesinin, "Hiç kimse senden daha önemli değildir. İnsanlardan çekinmen için hiçbir neden yoktur" deyişini anımsadı. Hızlı hızlı konuşmaya başladı, tüm düşündüklerini, o uzun uzun, içinde hazırladığı söylevi, bir tek cümleyle döktü içinden:

– Biliyorsunuz, ben de adımla özel bir haber istiyorum, "Demet Kaynar'la Akşamüstü" gibi, dedi.

Bu yaptığına inanamıyordu. İstediği şeyin adını bile koymuş, bunu adama söylemişti. Üstelik akşamüstü haberlerini kendi logosuyla birlikte okuyan kız, patronun yeğeniydi. Demet'in ise asla o kızı gündeme getirmek gibi bir niyeti yoktu. Asla o kızın elinden işini almayı düşünmemişti. Onun programı sabah da olabilirdi, geceyarısından sonra da, öğle vakti de... Niçin akşamüstü demişti? Kıpkırmızı oldu. "Yanlış anladınız, öyle demek istememiştim" demeye yeltendi, sonra vazgeçti, artık ne dese daha çok dibe batacaktı. Zaten herhalde adam da kalkıp gidecekti masadan.

Genel müdür gülmeye başladı.

– Neden akşamüstü de ikindi değil, dedi... Kahkahalarla gülüyordu.

Demet nasıl davranması gerektiğini düşünüyordu. Adam alay mı ediyordu, yoksa hoşuna mı gitmişti. Çenesini, burnunun altını sildi eliyle, iyice terlemişti yüzü. Kafeteryaya indiğine, adamı gördüğüne, her şeye lanet ediyordu. Demet'in bilmediği şey ise, adamın da o kızdan hiç hoşlanmadığı, patronun akrabası diye mecburen ona katlandığıydı. Bu yüzden Demet'in sözü hoşuna gitmişti, bu yüzden içtenlikle gülüyordu.

– Tamam Demet, sana özel bir program açacağım, çünkü sen gerçekten başarılı bir spikersin, ama yeni program dönemine az kaldı, biliyorsun şu anda bir şey yapamam... Fakat yeni mevsimde söz. Bak söz veriyorum sana, dedi.

Demet o kadar utanmıştı ki, duyduklarını algılayacak durumda değildi. Kahvesinden bir yudum aldı, oturduğu yerde kalkacakmış gibi kıpırdadı:

– Teşekkür ederim, sağolun diyerek yerinde doğruldu.

– Otur biraz daha, ne oldu, nereye gidiyorsun? dedi müdür Demet'in koluna elini koyarak.

– İşleriniz vardır, dedi Demet. O sırada genel müdürün asistanı geldi ve milletvekilinin gittiğini söyledi. Demet hemen masadan kalktı. İyi günler, teşekkür ederim, dedi.

– Sözümü unutmam, tutarım, ona göre, dedi adam da.

Tuvalete girip kapıyı kapadığında, klozetin üzerine oturmuş, gülüyor, bağırmamak için kendini zor tutuyordu Demet. Çok, ama çok önemli bir şey yapmıştı, kendiyle gurur duyuyordu. Ama bu kadar heyecanlanacak ne vardı? Niçin bu kadar paniklemişti, bunu hatırlayınca kızıyordu kendine, ama "Boş ver boş ver" diye söylendi, "bitti gitti, sözümü aldım ya" dedi. Hemen annesini aradı. Programa başlamış gibi seviniyordu.

Bora erkenden yola çıktı. Planına göre haberlerden önce oraya gidecek, makyaj odasında Demet'i yakalayacaktı. Bir de odada kimse olmasa... Ne güzel olurdu. Odaya girdiğinde Demet makyözün önünde oturuyordu. Kuaför köşedeki koltukta gazete okuyordu. Başka kimse yoktu. Bundan daha iyisi Demet'i odada yalnız yakalamaktı, ama bu kadar muhteşem rastlantılar da ancak filmlerde olurdu.

Demet Bora'yı görür görmez şaşırmış, sevinmişti. Neşeyle:

– Merhaba, hoş geldiniz, artık kadrolu yorumcu oldunuz galiba, dedi.

– Neredeyse olacağım, erken geldim ki yüzümü çok özel birine boyatayım, dedi Bora da.

– Nasıl memnun kaldınız mı? diye sordu Demet.

– Hem de nasıl, herkes o gece bana hayran olmuş, dedi Bora.

Geçen hafta neler olduğunu makyöze anlatmaya başladılar. Gülüyorlardı, çok önemli anıları olan iki eski arkadaş gibiydiler, mutlu ve samimi.

Demet'in makyajı bitmişti.

– Oturun sizinkini de yapalım, dedi makyöz.

Demet aynanın karşısında saçlarını düzeltiyor, odadan çıkmamak için oyalanıyordu.

– Daha çok vakit var bizim programa, makyajı sonra yapalım, haberlere de daha zaman var, hadi gel bir kahve ısmarlayayım sana Demet, dedi Bora.

– Burada ev sahibi benim, ben sana ısmarlayayım, dedi Demet de.

Birdenbire senlibenli konuşmaya geçmişlerdi. Bora'nın böyle yapmasının nedeni odadaki kuaför ve makyöze daha önceden tanışıyoruz, biz dostuz görüntüsünü vermekti. Demet'in içinden de aynı duygular geçmiş, bunu anlayarak aynı şekilde sen diyerek karşılık vermişti Bora'ya.

Kahvelerini alıp oturdular.

– Gerçekten başladınız mı bu programda? dedi Demet.

Yine siz diye konuşmaya başlamıştı.

Bora muzipçe güldü, bir süre Demet'e baktı... Acaba söylesem mi der gibi bir ifade vardı yüzünde. Sıkılmış, utanmış gibiydi.

– Evet, dedi Demet sabırsız bir sesle.

– Söylesem mi bilemiyorum, dedi Bora.

– Ne var söylenemeyecek anlamıyorum ki, dedi Demet.

Bora şöyle bir yerinde doğruldu, ciddileşmişti, çok önemli bir şey söyleyecek kişilerin yüz ifadesiyle, iki eliyle masaya dayandı, Demet'e doğru eğildi:

– Neden geldim biliyor musunuz bu hafta da, dedi.

Demet iyice sabırsızlanmıştı ve hiçbir şey anlamıyormuş gibi omuzlarını kaldırarak:

– Bilmiyorum, dedi, hadi çabuk, zamanım doluyor der gibi saatine baktı. Birbirinden hoşlanmaya başlayan herkes gibi sözcüklerle değil, davranışlarla anlaşıyorlardı.

Aslında biliyordu. Bora'nın kendisinden hoşlandığını, bu kafeteryada onun için oturduklarını, birazdan kendisiyle ilgili bir şeyler söyleyeceğini biliyordu. Erkeğin her davranışının altında yatan örtülü anlamı en aptal kadın bile anlayabilirdi. Davranışlara bir anlam yükleyemeyenler anlayışsız erkeklerdi.

– Programa gelmeyi ben önerdim, çünkü seni görmek istiyordum, dedi Bora. Yine sen'e geçmişti.

Demet çok uzun süredir bir erkekle cilveleşmeyi unuttuğunu sansa da, hoşlandığı erkek tarafından beğenildiğini hisseden kadınların yaptığı gibi davrandı, hiç çabalamadan cilveli bir kadın oldu ve:

– İyi ettin, dedi.

Birden ciddileştiler, birbirlerine baktılar. Demet başını eğdi, Bora'nın alyanssız, güzel ellerini gördü.

– Seni bekleyeyim mi program çıkışı? dedi Bora.

– Senin değil benim seni beklemem gerekir, bu da imkânsız, dedi Demet.

– Neden imkânsız?

– Çünkü sizin program çok uzun sürüyor, benim burada oturmam tuhaf kaçar.

– Git başka yerde otur, orada bekle.

Başını iki yana sallayarak olmaz der gibi güldü Demet.

– Ben seni bekleyeyim programa katılmayayım, dedi Bora.

– Olur mu öyle şey, diyerek saatine baktı, yerinde doğruldu Demet.

Zamanları dolmuştu. Önlerinde mutlaka yapmaları gereken, asla kaçamayacakları görevleri vardı. Kelime oyunu yapacak, flört edecek bir dakikaları bile yoktu. Çaresizce bakıştılar. Sanki her şey bitmişti o anda. Umarsız, imkânsız, acıklı bir an... İkisini içine alan o heyecan dalgası şeffaf bir elektrik haresi gibi uzaktan görünüyordu.

– Bugün pazar, kimsecikler yok, n'olur beklesen Demet, dedi Bora çaresiz ve telaşlı bir sesle.

– Olur mu hiç, sizin programdakiler görecekler, dedi Demet sıkıntıyla.

İkisinden biri, "Saat birde, şurada buluşalım" dese, buluşacaklardı, bunu biliyorlardı, ama dememeleri gerektiğini de seziyorlardı.

Demet yine saatine baktı:

– Gitmem gerek, dedi.

– Telefonunu ver o zaman, dedi Bora telaşla.

Söyledi Demet de telaşla.

Kalktılar. Sağ elinde çantasını tutuyordu Demet, sol elini uzattı, Bora da sağ elini. Birbirlerinin elini tuttular, birkaç saniye, öyle sımsıkı el ele tutuşarak kaldılar, birbirlerine iyi yayınlar dediler.

Bora makyaj odasında Demet'i seyretti, Demet de evde Bora'yı. Sürekli gülümsüyordu izlerken. Bir hoş oluyordu içlerinde bir yerler.

"İyi ki telefonunu almamışım, mutlaka arardım program bitişinde onu" diye düşündü Demet.

Spor programı saat bire doğru bitti. Bir süre daha makyajı ve giysileriyle oturdu öylece televizyonun karşısında. Bora'nın program biter bitmez arayacağını düşünüyor, ararsa, hemen evden çıkabilmek için hazır bekliyordu.

Bir süre sonra aynanın karşısına oturmuş makyajını temizlerken, "Saçmalıyorsun, elin çapkın adamı biraz kur yaptı, hepsi bu, kendine gel" diye söyleniyordu. Bir yanı Bora aramadığı için memnun olmuş, öteki yanı derin bir düş kırıklığına uğramıştı. Memnuniyetiyle değil, düş kırıklığıyla uyudu ama...

24

Siyah ve beyaz iç çamaşırları
Demet

Pazartesi, salı, çarşamba... Bu üç gün nasıl geçti bilmiyorum. Telefonum elime yapışmış gibiydi. Tuvalete giderken bile yanımda taşıyor, Bora'nın aramasını bekliyordum. Neden bu kadar kafama takılmıştı, neden bu adamı düşünüp duruyordum bunun yanıtını bulamıyordum. Bir dakika bile aklımdan çıkmıyordu. Arayacak mı aramayacak mı? Hayatımın sorusu bu olmuştu adeta. Büyük bir olasılıkla aradığında gayet soğuk konuşacak, buluşma önerisini kabul etmeyecektim, ama yine de çılgınca aramasını istiyordum. Sanki onun araması benim kadınca bir başarım olacaktı. Aramaması da başarısızlığım elbette. Küçük bir sınav sonucu beğenilmemiş bir kadın sorunsalı yani...

Kendimle konuşuyor, kendime telkinlerde bulunuyordum, "Aramayacak, o, geçici bir andı, bu tür erkekler kadınlara böyle sıcak davranırlar, kadınlar onlar için bir avdır ve her şey anlıktır. Niçin küçük kızlar gibi önemsiyor, abartıyorsun o yarım saat içinde yaşadıklarını? O kadardı işte onlar, küçük bir an, küçük bir heyecan. Üstelik buluşmak gibi bir niyetin de yok..."

Kendime niçin onunla buluşmak istemediğimi anlatıyordum. Aslında belki de aramamasının daha iyi olacağını düşünüyordum. Aradığında ben hayır deyince başlamakta olan arkadaşlığımız bozulacaktı. Zaten onunla buluşmama imkân yoktu. Buluşsam ne diyecektim, ne yapacaktım? Bir gecelik bir şey mi yaşayacaktım? Adamı tanımıyordum bile. Sinan ne olacaktı? Ben evliliğe hazırlanan bir kızdım ve bir çapkın adamın zevkine kendimi sunamazdım...

Böyle üç gün, üç gece düşüne düşüne kesin karar verdim. Bora ararsa ki aramayacaktı, kibarca onu ret edecektim. "İşim var, gelemem, olamaz, ne gerek var..." Onunla böyle gayet soğuk konuşacak ve buluşmayacaktım. Evlenme hazırlığındaki bir kadının, hazırlığı olmasa bile, evlenme sözü vermiş bir kadının, hiç tanımadığı bir erkekle, laf olsun diye buluşmasının hiçbir anlamı yoktu. Üstelik ortak bir çevrede yaşıyorduk ve bu da sakıncalı olurdu.

Üçüncü günün sonunda birdenbire üzerime bir üşengeçlik gelmişti. Artık aramasını beklemeyecektim. Telefonumu elimden bırakarak dolaşmaya başlamıştım. Düşünmek anlamsızdı. Dertsiz başa dert açmanın hiç gereği yoktu. "Teşekkürler Bora... Hayııır... Olamaaaaz... Bye bye..."

Ohh! Karar vermiş rahatlamıştım, ama yine de her telefona koştuğumu, eğer arayan bir erkekse onun sesine benzettiğimi fark ettim. Telefon etmeliydi ki ben de ona hayır diyebileyim. Bu tür kendini beğenmiş, her istediğini elde etmiş erkeklere hayır demenin keyfi bir başka olmaz mı? Bu cazip erkeklere ya da kendilerini çok cazip sanan ukalalara kısacık, net bir hayır demek, şahane bir şey değil mi? Seninle birkaç gün çıkacaklar, yatıp kalkacaklar, sonra da listelerinin en altına adını ekleyecekler. Yok canım, o kadar kolay değil işte. Hayııır Bora, hayır çıkamam, daha fazla ısrar etme lütfen.

Gönlüm rahat sakince alışverişe çıktım. Haberlerde giymek için o soğuk kadının müdürlük yaptığı mağazaya gidecek, firmanın vereceği kıyafeti seçecektim, sevimsiz kadın ciddi ciddi suratıma bakacak, "Bu renk size yakışmadı çıkartın" diyecekti yine, ben de uslu ve salak bir çocuk gibi onun önerdiği giysiyi alıp çıkacaktım. Biraz da dolaşıp kış sezonunda neler var bakmak istiyordum.

Büyük bir mağazanın iç çamaşırı reyonunda buldum kendimi. Ve çok kısa bir süre sonra elimde onlarca iç çamaşırıyla minicik soyunma odasında. Dantelli sutyen çok şık duruyordu üzerimde. Külotu da öyle, minicik bir şey. Sutyenin üzerine gömleğimi geçirdim nasıl duracak diye. Benim göğüslerim bile biraz içinden fırlamıştı ve gömleğin altından bu durum belli oluyordu, pek hoş değildi... Ama gömleği çıkardığımda harikaydı, çok şık ve çok seksi... Gerçi Sinan bir gün bile iç çamaşırlarımın farkına varmamıştı; ama ben bunları kendim için alıyordum. Dışım gibi içimin de güzel olduğunun farkına varmaktan hoşlanıyordum.

Giyinme odası sıcaktı, daracıktı, avaz avaz bir müzik çalıyordu, gömleği ve sutyeni çıkardım, bir an önce şu hücreden kurtulmalıydım... Telefonum çalmaya başladı. Bin tane sutyen ve külotun altından çantamı buldum, çalan telefonu aramaya başladım, kan ter içinde ve telaşla çantamın dibini karıştırıyor, telefonu ayrı bir göze koyayım kararımı her seferinde uygulayamadığıma sinirleniyordum, para çantamı, çiklet kutusunu, aynayı, makyaj çantamı, saç fırçamı, telefon defterimi, kâğıt mendil paketini, parfüm şişesini teker teker yokladıktan sonra telefonu yakaladım sonunda, açtım...

– Nerelerdesin, kapatıyordum az kalsın, dedi Bora.

Aynada kendimi gördüm. Külotumun üzerine geçirdiğim minicik dantel külotla, üstüm çırılçıplak, bir çamaşır yığınının ortasında, elimde telefon, ağzım açılmış kendime bakıyordum. Elimi göğsümün üzerine bastırdım heyecanımı yatıştıracakmış gibi.

– Merhaba, nasılsın? dedim.

– Neredesin, uygun musun? dedi.

– Evet, evet, alışverişteyim, program için kıyafet seçiyorum, dedim.

Sanki bunu söylemesem iç çamaşırı seçtiğimi anlayacaktı ve ben de rezil olacaktım. Üstümdeki kıyafete bakınca aslında bu da bir tür program için kıyafet seçimi olabilir diye geçti içimden.

– Kırmızı sana çok yakışıyor, dedi.

– Siyah bir şeyler alıyordum, dedim üzerimdeki külota bakarak.

– Akşam buluşalım mı, balık sever misin, karşıda deniz kenarında minik bir meyhane var, gidelim mi? dedi.

– Gidelim, dedim hemen, hafifçe öksürdüm sesimdeki heyecanı ve neşeyi anlamaması için.

– Nasıl, nerede buluşmak istersin, yani ben mi alayım seni? diye sordu.

– Sen al, dedim.

Ona evi tarif ettim.

– O sitede bir arkadaşım oturuyor, biliyorum, sekizde kapındayım, dedi.

O minicik kabinde, üzerim çırılçıplak, altımda iki külot üst üste, bir elimde telefon, öteki elim kalbimin üzerinde, ağzımı sımsıkı kapatmış, bağıracakmışım gibi kendime bakıyorum.

Zafer kazanmış gibi gözlerimiz ve üç gündür aldığımız kararları, o hayır olamazları birbirimize asla hatırlatmıyoruz.

– Bir şeye ihtiyacınız var mı? diye seslendi satıcı kız. Bundan sonraki bütün ömrümü burada geçireceğimi düşünüyordu herhalde.

– Yok, çıkıyorum, dedim. Aynı modelin hem siyahını hem beyazını alarak çıktım mağazadan. "Bir de kırmızısından alayım?" mı diye de içimden geçirmedim değil.

Ona, hiç düşünmeden gelirim demiştim ve bundan ötürü hiç pişmanlık duymuyordum. "Hani hayır diyecektin" diye kendime sitemler de etmiyordum. Ağzımdan öyle çıkmıştı işte ve bir kez yemek yemenin de hiç garip bir yönü yoktu. Yemek yer, biraz sohbet eder, güzel bir gece geçirebilirdik. "Bunda bu kadar çekinilecek bir şey yok" diyordum kendi kendime. Üstelik çok da hoş davranmıştı telefonda. "Seni yemeğe götüreyim" değil, gidelim demişti. "Nasıl gelmek istersin" diye sormuş, kararı bana bırakmıştı. Kararları kendi verip emir verircesine "Seni evden alayım" diyen erkeklerden değildi. Bunlar hoşuma gitmişti doğrusu.

O akşam Sinan'la buluşma akşamımızdı. Sinemaya gidecektik. Başka zaman giderdik, nasıl olsa hayatım hep Sinan'la geçecekti ve yaptığımız programı da ilk kez bozuyor değildik.

Ona telefon edip bu durumu açıkça söylemeye karar verdim. Bunda asla tuhaf bir şey yoktu, adam bir meslektaşım sayılırdı ve onunla yemeğe çıkmam da çok doğaldı. Sinan'a telefon açtım:

– Sinan, bu gece ben yokum, ani bir program çıktı, televizyondan kızlarla yemeğe çıkacağız, dedim.

Evet böyle dedim. İçimdeki bir başka ben, beni yönetiyor gibiydi. İkiye ayrılmış, parçalanmıştım. Birbirimize müdahale edemiyorduk. Sanırım içimdeki ben, doğru olanı yapıyordu. Ne gerek vardı şimdi boş yere Sinan'ın içine kıskançlık tohumları atmaya...

Koşa koşa eve gittim. Saçlarım yeni fönlenmişti, tepemde toplayıp, bonemi takarak duşa girdim. Duştan çıktıktan sonra uzun uzun vücut losyonumu sürdüm. Vanilya kokanını... Çok dikkatli, ama hafif bir makyaj yaptım.

Yeni aldığım iç çamaşırlarını tek tek üzerimde denedim. Beyaz olanı giymeye karar verdim. Beyaz gömlek ve siyah deri yelek giyecektim. Siyah pantolonun altına çorap giyip giymeme konusunda çok kafa patlattım. Eğer çorap giymezsem, siyah topuklu botlarım ayağımı acıtıyordu. Eğer pantolon çorabı giyersem, o da pantolonu çıkarınca çok çirkin görünüyor, hem de dizlerin altında iz bırakıyordu. Külotlu çorap ise transparan olanlar güzeldi de, şu güzelim külotun şıklığını öldürüyordu. Neden peki bunlara bu kadar kafa yoruyordum?

Asla... Asla... Onunla yemekten sonra birlikte olmak gibi bir niyetim hiç yoktu. Hiç. Ama yine de içim dışım şık olmalıydı. Çok çok uzun yıllar bir erkekle randevulaşmamıştım, Sinan'ı saymazsak. Bunun tadını çıkarıyordum.

Beyaz iç çamaşırlarımı aniden çıkardım, omuzları açık olan siyah triko bluzu giyecek, üzerine bir şal alacaktım, onun için beyaz çamaşırları siyahlarla değiştirdim. Siyah botlarımın ayağımı vurma pahasına, çorap giymedim. Bacaklarımdaki bronzluk hâlâ geçmemişti ve pantolonu indirdiğimde çok hoş duruyordu. "Önemli olan insanın kendini beğenmesi" dedim içimden. Gözüm saatte beklemeye başladım.

Ertesi gün aramamalı

Bora

Onu hemen aramak istedim. Hatta o gece spor programı bittikten sonra otomobile bindim ve defalarca telefonumu elime alıp numarasına baktım. Bir kez yes'e bile bastım, ama hemen vazgeçtim. Aslında bazı kadınların hoşuna gider bu... Gecenin geç bir vakti aranmak onlara ayrı bir özellik kazandırır sanki. Özlenen, hatırlanan, beğenilen bir kadın duygusunu yaşarlar. Oysa çoğu erkek için, gecenin geç bir vaktinde bir kadını arıyorsa, telefon defterinden gelişigüzel seçtiği uygun bir numaradır o yalnızca. Alkolün verdiği rahatlık ve vurdumduymazlıkla, kısa bir macera isteği, aslında bilinen, kokusu bir yerlerinde kalmış, ama bir süredir unutulmuş, bildik ama yeni bir tat arzusu, uğraşmadan sahip olma duygusu, kolayca elde edilecek, geçici, zararsız bir heyecan tutkusunun toplamıdır o geç saatlerde aramalar.

Demet'e böyle bir şey yapamazdım. Geceyarısından sonra ona telefon edip buluşma teklif edemezdim. O da asla gelmezdi. Herhalde iyice sinirlenir ve terslerdi beni. O çok akıllı bir kıza benziyordu ve bir telefonla, tanımadığı bir erkeğe koşa koşa gelecek bir tip olamazdı. Ben de bu yüzden kendimi tuttum ve aramadım.

Ondan sonraki günlerde de içim içimi yedi onu aramak için. Pazartesi günü kolay geçti, çünkü hemen ertesi günü aramak da pek uygar bir davranış olmazdı. Yapışkan bir erkek imajı vermek akıllıca değildi. Ne diyecektim ki, "Hani dün kahve içmiştik ya, ne yapıyorsun bakalım?" Böyle bir saçmalık yapan erkeği kimse ciddiye almazdı. Hele Demet gibi biri. Hemen ertesi günü aramamak gerektiğinde o kadar kesin kararlıydım ki, o günü kolayca atlattım. Ama salı günü ne yapacağımı bilemez bir halde dolandım durdum. İkinci gün gelmişti ve bugün aramakta pek sakınca yoktu. İkinci gün arayınca yapışkan bir erkek sayılmazdım herhalde. Ama yine de çok çabuk hareket ediyormuşum gibi geliyordu bana. Kızı hiç tanımıyordum, o da beni tanımıyormuş gibi davranabilirdi. "Ne yani bir kez kahve içmişsek, hemen sizinle çıkmam mı gerekir" dese ne cevap verecektim ona. Salı günü de böyle düşüne düşüne akşamı ettim. O gün de aramak için oldukça erken diye düşünüyordum. Aslında bunun için en iyi günün cuma olduğunu düşünmüştüm. Yani beş gün geçip hafta sonu geldiğinde aramak daha normaldi. Hem acele etmemiş olacaktım hem de arayı soğutacak kadar zaman geçmeyecekti. O gün maç vardı; ama bir kez maça gitmesem de dünya yıkılmazdı.

Çarşamba günü öğleden sonra daha fazla dayanamadım, kendime yakıştıramıyordum bu saçmalıkları, çocuk gibi olmuştum, aniden telefonu alıp zaten hafızada kayıtlı olan numaraya basıverdim. Çünkü böyle yapmazsam çok zaman geçirecek, hiç cesaret edemeyecektim. Boşuna düşünerek kendi cesaretimi kırıyordum. İlk kez böyle bir şey yaşıyordum. İlk kez bir kadın için bu kadar kafa yoruyordum. Çok tatlı, çok farklı bir kızdı. Yumuşacık, sıcacık bir havası vardı, ama yine de hoşlandığım kadınlardan birisiydi ve bu kadar şaşkına dönmem için bir neden yoktu. Telefonun tuşuna o kadar ani basmıştım ki, aklımdan ne söyleyeceğimi bile geçirmemiştim. Eğer ne söyleyeceğime, nasıl davranacağıma dair hazırlıklar yapsaydım, asla telefon edemeyeceğimi biliyordum. Aslında bu iki günlük kararsızlığım, şaşkınlığım hoşuma gidiyordu, yepyeni duygulardı bunlar, ama yine de uzatmanın anlamı yoktu. Hoşlandığım bir kadındı işte.

Uzun süre telefon açılmadı. Acaba telefon numaramı biliyor da onun için mi açmıyordu? Benimle konuşmak istemiyor muydu? Kapatırsam, kim bu diye merak edip beni arar mıydı? Açmıyordu, kapatacaktım ve herhalde bir daha arayamayacaktım bu kuşkular içinde. Bir insanın telefonu çalınca neden açmadığını anlamam mümkün değildi. Ev telefonu olsa tamam, bu evde yok demektir, ama insan cep telefonu çaldığı halde niçin açmaz bunu anlayamıyordum. Canım sıkılmıştı, tam kapatacakken birden onun sesini duydum. Alışveriş yapıyormuş. Kadınların telefonlarını genellikle duyamama ve bulamama gibi bir sorunları olduğunu hatırladım o an. Pek hatırlamıyorum, ama sanırım saçma sapan bir şeyler söyledim "Kırmızı sana çok yakışıyor" falan gibi. Kırmızının ona çok yakıştığını nasıl bilebilirdim? Acaba bir kez ekranda onu kırmızı bir ceketle görmüş müydüm? Yoksa kafadan atmış mıydım? Makyaj odasında gördüğümde siyah bir ceket vardı üzerinde, buna eminim. Ama kırmızıyı nereden çıkarmıştım? Eğer ekranda hiç kırmızı giymediyse ayıp etmiştim. Neyse o hiç bunun üzerinde durmadı ve siyah bir şeyler seçtiğini söyledi.

Yine hiç düşünmeden, "Akşam balık yiyelim mi?" diye sordum. O da hiç düşünmeden tamam deyiverdi. Bu çok hoşuma gitti, çünkü işim var falan deseydi bunun gerçek mi, yoksa bir bahane mi olduğunu anlayamayacak, ne yapacağımı şaşıracaktım. Çok doğal bir kız, çok hoş davrandı... Yeni moda feministler gibi, "Beni almana gerek yok, ben gelirim" de demedi, onu evden almamı tercih etti. "Güzel" dedim kendi kendime.

Telefonu kapattıktan sonra bir an eve gidip kıyafetimi değiştirmek geçti içimden, ama bu çok saçma olurdu. Zaten üç gündür sabah çıkarken çok özeniyordum giyimime... Bizim jimnastik salonuna inip bir duş aldım, berbere gidip tıraş oldum. Selin'e telefon edip gazetedeki arkadaşlarla yemek yiyeceğimizi, bir ihtimal patronun da aramıza katılacağını söyledim. Neden patronun da katılacağını söyledim? Nedeni basit, inandırıcı olsun diye. Oysa bunu daha önemli günler için saklayabilirdim. Neyse, öyle çıktı ağzımdan.

Saat yedi olduğunda gazeteden çıkmıştım. "Eğer erken gidersem kapıda beklerim" diye düşündüm. Çünkü biliyorum ki kadınlar son dakikaya kadar kendileriyle ilgili bir şeyler yaparlar. Ha bire kıyafet değiştirirler, beş dakikada bir yüzlerine bir şeyler sürerler. Bütün aksesuarlarını takıp çıkarırlar. Onun için beş dakika bile erken gelseniz, sinirlenebilirler. Tam yedi kırk beşte kapısının önündeydim, beklemeye başladım.

26

Birbirlerine karıştılar

Demet-Bora

Tam sekizde çaldı kapıyı Bora. Sitenin girişindeki çiçekçiden bir kırmızı gül almış, bunu şeffaf plastik kutuya koymaya çalışan çiçekçiye itiraz etmiş, otomobiline bindikten sonra, çiçeğin uzun sapının yarısını kırmış, minik, sevimli gülü, Demet'in tam karşısına, camın içine koymuştu.

– Yukarı çıkacak mısın? diye bağırıyordu Demet otomatiğe bastıktan sonra. Sesi cadı kadınlar gibi o kadar yüksek geliyordu ki, kahkahalarla gülmeye başladı Bora.

– Sen gel, bekliyorum, diye bağırdı o da.

Demet çok güzel görünüyordu. Bora, "Hafif makyaj çok daha güzel oluyor" diye içinden geçirdi, ama bunu söylemenin doğru olmayacağını düşündü.

– Ne kadar güzelsin, dedi sadece.

Arabaya gidene kadar Demet hissettirmeden Bora'yı inceledi. Hafifçe arkada kalarak ayakkabılarına baktı önce, hangi modacı yarattıysa, kafası kopasıca o modacının icadı bok rengi ayakkabılardan giymemişti neyse. O modacı bir erkek düşmanıydı herhalde ve koyu renk giysilerinin altında o iğrenç renkteki ayakkabılarıyla çok komik duruyordu erkekler... Farklı bir tür yaratık gibi. Ayakkabıları siyahtı... Ceketi, pantolonu, gömleği gerçekten mükemmeldi. Arabaya bindiklerinde hafifçe ona doğru eğilerek kravatına da baktı. Buradan da yüksek bir puan aldı Bora.

Aslında giysiler için tüm puanları Selin almıştı, ama Demet henüz, Selin'in varlığından habersizdi. Ve Bora ona göre çok zevkli bir erkekti.

– Hem güzelsin hem de çok şıksın, dedi Bora.

– Sen de öyle; dedi Demet de.

Sıkışık trafikte havadan sudan konuşarak ağır ağır yol aldılar. İkisi de durmadan konuşuyor, gülüyordu. Radyoda onların doğduğu yılların müzikleri çalıyordu. Ona rağmen şarkılara eşlik ediyorlardı. İkisinde de en ufak bir tedirginlik, en ufak bir pişmanlık yoktu, yaptıkları çok doğal, çok masum bir şeydi. Sanki bir iş görüşmesi buluşması kadar rahattılar. İlk buluşmalar her zaman çok dingin, çok masum karakterlidir. Açıklanacak mantıklı bir şeyler mutlaka bulunur. İlişki başladıktan sonraysa, masumiyet sona erer ve kaçamak âşıkların mı buluşmaları ilk günkü rahatlığına bir daha hiç kavuşamaz.

Demet gülü eline aldı, sonra hemen bıraktı. "Bir gece önceden kalmış bir çapkınlık anısı, başka bir kadının umursamazca unuttuğu bir güldür bu" diye düşündü.

– Senin o gül dedi Bora.

Demet sanki düşüncesini anlamış gibi mahcup bir şekilde gülümsedi:

– Çok naziksin, teşekkür ederim, dedi. Yine de içindeki o kuşku geçmemişti. Ama bunun da hiç önemi yoktu.

Bora çok güzel bir seçim yapmıştı, denizin tam üzerindeki balıkçı salaş bir şıklık içinde, çok sevimli bir yerdi. Pencereler açıktı, denizle iç içe oturuyorlardı.

– Meze yemesek, balığa sıra geldiğinde doymuş oluyoruz, dedi Demet.

– Biz söyleyelim de yemeyiz, dedi Bora.

Beyaz şarap hemen bitti, ikincisini söylediler. Demet hiç durmadan içiyor, "Sarhoş olmam pek" diyordu.

Konuşacak çok şeyleri vardı. Televizyon ve basın dünyasından söz ettiler. Bol bol dedikodu yaptılar. Hoşlanmadıkları isimlerde birleştiler, kahkahalar attılar.

İkisinin de aklından özel yaşamlarına dair sorular geçiyordu elbette, ama bunu birbirlerine sormadılar. Hem verecekleri cevaptan hoşlanmıyor hem de alacakları cevaptan ürküyorlardı. Aralarında gizli bir anlaşma varmış gibi, özel yaşam konusuna asla girmediler.

Dedikodu etmedikleri zaman, Bora çok tatlı iltifatlar sokuyordu araya.

"Sesin su şırıltısına benziyor" dediğinde Demet küçük bir kız gibi utanıyor, ne yanıt vereceğini bilemiyordu.

"Gözlerin çok güzel diyeceğim ama bu önemli değil, aslında bakışın güzel" dediğinde, "Senin de öyle" demeyi düşünüyor, ama susuyordu.

"Ağzı, dişleri, elleri" diye geçiriyor içinden, söyleyemiyordu. Güzel sözler söylemek sanki erkeklere mahsustu ve Demet de bu kanunu çiğneyemiyordu.

Kalktıklarında ikisi de oldukça içmişti. Demet hafifçe Bora'nın kolunu tuttu ve:

– Kullanabilecek misin? diye sordu.

– Merak etme, asla tehlikeli bir şey yapmam, dedi Bora da.

Artık trafik açılmıştı, bir saatte geldikleri yolu yirmi dakikada alıverdiler.

– Başka bir yere gitmek ister misin? diye sordu Bora eve yaklaşırlarken.

Demet başka bir yere gitmek, daha fazla içmek, bu geceyi bitirmemek istiyordu. Başını koltuğa yaslamış, hafifçe Bora'ya doğru kaymış, mutlu mutlu gülümsüyordu. Başı dönüyordu, sarhoş olmuştu, ama bunu Bora'ya belli edip etmemeyi düşünecek kadar da aklı başındaydı. Ya biraz daha sarhoş gibi yapacaktı ya da biraz daha ayık gibi. Demet'in oturduğu siteye sapan yolun başına gelmişlerdi, evin yoluna saparsa birbirlerinden ayrılacaklar, düz giderse geceye devam edeceklerdi.

Demet cevap vermedi, düşünüyormuş gibi bir ses çıkardı. Bora evin yoluna mı sapacak, yoksa düz mü gidecek diye çok merak ediyor, ama ne istediğini söyleyemiyordu. Aslında düz gitse çok üzülecekti... Bora yavaşça evin yoluna saptı, Demet sesini çıkarmadı. Bora yavaşça siteye girip Demet'in kapısının önünde durdu. Biliyordu ne olacağını. Bilmese mutlaka başka bir yere giderlerdi.

Demet başını koltuğa yaslamış, hiç kıpırdamadan Bora'ya bakıyordu. Bir yandan onunla birlikte eve gitmek, bir yandan da ondan hemen şimdi ayrılmak istiyordu. Bora yüzünü iyice Demet'e yaklaştırdı:

– Ne yapıyoruz? dedi.

Demet istiyordu ki Bora otomobilden insin, onun kapısını açsın, elinden tutup onu dışarı çıkarsın, eve doğru götürsün... Kararı Bora versin... Oysa o bunun tam tersini yapmış, karar vermeyi Demet'e bırakmıştı.

– İçmeye devam ediyoruz, dedi Demet ve otomobilden indi. Bora da arkasından gelmişti. Bir süre kapının önünde çantasını karıştırarak anahtarını aradı. Neden bu anahtarı belli bir yere koymuyordu? Gecenin bu saatinde birine yakalanacaktı şimdi. Sonunda ucunda kocaman bir yunus balığı takılı anahtarlarını buldu. Bora anahtarı elinden alıp kapıyı açtı. Asansöre bindiklerinde, Demet Bora'ya yaslandı, Bora da Demet'e şefkatle sarıldı.

– Şaraba devam mı, yoksa başka bir şey mi? dedi Demet.

– Şaraba devam, dedi Bora.

Şarabı açmaya çalışan Demet'i bir süre gülerek izledi Bora. Demet onun güldüğünü görünce:

– Sırf şarap şişesi açmak için her akşam eve bir erkek getirmek zorundayım, dedi. Ellerinde kadehleri salona geçtiler. Pencerenin önüne gidip dışarı bakmaya başladılar.

– Burada böyle önü açık bir ev olacağını tahmin etmezdim, dedi Bora.

– Bir tek bu blok böyle, dedi Demet.

Omuzları, kolları birbirine değiyordu, Bora Demet'in elini tuttu, Demet de başını Bora'nın omzuna dayadı. Boyu Sinan'dan biraz daha kısaydı. Şimdi Sinan ne diye aklına gelmişti? Onu aklından çıkarması gerekiyordu, Bora'ya baktı. Şarabından bir yudum aldı. Bora yavaşça kadehi elinden aldı ve:

– İstersen bırak artık çok içtik, dedi. Kadehleri masanın üzerine koydu.

– Ne çalmamı istersin? dedi Demet.

– Hiçbir şey, en güzeli senin sesin, dedi Bora. Sarıldı Demet'e. Sımsıkı kucakladılar birbirlerini. Demet başını kaldırdı, Bora hafifçe dudağından öptü. Üstdudağını, altdudağını yavaşça öpüyordu. Demet de Bora'nın üstdudağını, altdudağını hafifçe öpüyordu. Sonra dudakları hiç ayrılmadı birbirinden. Büyük bir özlemle, çılgın gibi öpüşüyorlardı. Ağızlar, diller, tükürükler birbirine karışmıştı. İnanılmaz bir zevk içindeydi Demet. Bora, Demet'in bluzunu yukarı sıyırdı. Yeni, güzel, seksi, siyah dantel sutyenin üzerinden göğüslerini okşamaya başladı. Demet Bora'nın kravatını çözmeye uğraşıyordu. Bora bluzu çekti çıkardı, pantolonun fermuarını açtı, Demet'in pantolonu ayaklarının dibine düştü. Dudakları birbirinden hiç ayrılmamıştı. Demet'in bronz bacakları çok güzel görünüyordu, bunu biliyordu, bir yandan da, ayağında botları varken pantolonu çıkaramayacağını, bu durumda nasıl yürüyeceğini düşünüyordu. Ne düşündüğünü anlamış gibi yatak odasına çıkan basamaklara oturttu Bora Demet'i. Önünde çömelerek botlarını çıkarmaya başladı. Botları çıkardıktan sonra ayaklarını, ayak parmaklarını tek tek öpmeye başladı. Pantolon da çıkmıştı, Demet siyah dantel iç çamaşırlarıyla merdivende oturuyor, Bora da çamaşırların üstünden her tarafını öpüyor, hafifçe ısırıyordu. "İyi ki çorap giymemişim" diye düşündü. Çorap giymemesinin nedeni, işte tam da böyle bir an yaşamak içindi, ama Demet sanki bunu hiç planlamamış gibi yapıyordu. Tasarlanmış cinayetlerin cezası daha fazla olurdu, o da hiçbir şeyi tasarlamadığına inanmak istiyordu.

"Botların kokusu ayağıma geçmiş midir acaba" diye düşünmeye başladığında, "Yeter" dedi içindeki Demet, "bırak, tadını çıkar..."

– Hadi içeri gidelim, dedi Bora'ya.

Şimdi o Bora'yı soyuyordu. Aynı onun yaptığı gibi, üzerindekileri çıkardıkça her tarafını öpüyordu. Dudakları buluştuğunda hiç ayrılmadan saatlerce öpüştüler. Sanki kırk yıldır beraberlermiş gibi rahat ve utançsız, ama yılların özlemini gideriyormuşçasına heyecanlı ve hoyrat seviştiler. Bağırdılar, bağırdılar, inlediler, inlediler, sular seller gibi birbirlerine karıştılar...

Bora uyandığında sabahın yedisiydi. Gözlerine inanamadı, demek çok içmiş, sonunda sızmıştı. Hemen kalktı, giyindi, aslında duş alması gerekiyordu, ama bugüne dek hiç yapmadığı kadar çok geç kalmıştı, Demet'i öptü...

– Gidiyor musun? diye mırıldandı Demet.

– Evet, sabah olmuş gitmem gerek, seni arayacağım, dedi Bora ve telaşla çıktı evden. Telefonunda pek çok arama görünüyordu, hepsi de Selin'den gelmişti.

Yol boyunca ne diyeceğini planladı, düşünceler hızla aklından geçiyordu. Asla pişmanlık duymuyordu. Çok güzel bir gece geçirmişti ve şimdi de gerçeklerin karşısındaydı.

Her zaman olduğu gibi.

27

İntikamın acı oldu

Selin

Bora bunu ilk kez yaptı... İlk kez eve bu kadar geç döndü. Aslında ilk kez sayılır mı bilemiyorum. Sabaha karşı üçte dörtte eve geldiği olmuştur, ama nerede olduğunu söylediği için pek merak etmezdim.

Bu kez çılgına döndüm. Nereyi, kimi arayacağımı bilemedim. Gazeteyi aradım sanki bir işe yarayacakmış gibi, eşi olduğumu söylemeye utandım ve "Ben ablasıyım da" dedim, santraldaki adam orada olmadığını söyledi. O saatte tanıdığım birisi gazetede olamazdı ki ona sorayım. Evdeki telefon defterinde numaraları yazılı olan arkadaşlarını ise arayamadım. Çünkü bir kez merak edip bir arkadaşını aradığımda çok sinirlenmişti. Günlerce dargın kalmıştık. "Annesi tarafından aranan oğlan çocuğunun durumuna düştüğünü" söylemişti. Onu nasıl böyle küçük düşürebilirmişim. Nasıl peşinden dedektif gibi sağa sola telefon edermişim... Merak edecek ne varmış, arkadaşlarıyla berabermiş, bunu da bana söylemiş, başka kocalar bir telefon edip söylemek zahmetine bile katlanmıyorlarmış, ama o bana söylüyormuş nerede olduğunu. Bu iş böyleymiş... Başka türlü var olunamazmış...

Evlendiğimizden birkaç yıl sonra, gece gezmelerini sıklaştırdığında kuşkulanıyordum elbette. Üstünden çıkardıklarını incelediğim, kokladığım, ceplerini karıştırdığım çok olmuştur. Telefonunu bile kontrol ettim. Bunları kendimden utanarak yapıyordum. Böyle bir kadın olmak istemiyordum. Kıskanç, kuşkucu, hesap soran bir kadın olmak utanç vericiydi, bu kadınlardan olmamak için çabaladım hatta. Bunları yaparken kendimden nefret ediyordum. Ne bulmaya çalışıyordum? Yakasında bir ruj izi?..

Ceketinde bir kadın kokusu?.. Cebinde bir aşk mektubu?.. Telefonunda seni özledim mesajı?.. Bunlardan birini bulsam ne yapacaktım? Hemen onu terk edip gidebilecek miydim? Yoksa iyice kuşkucu, hesap soran, yakasına yapışan, dırdırcı, mutsuz bir kadına mı dönüşecektim? Bunları yapamayacaksam, neden orasını burasını kokluyor, ceplerini karıştırıp duruyordum?

Bir süre sonra araştırmacı eş durumundan kurtuldum. O güne dek hiçbir ize rastlamamıştım. Zamanla onun yaşamının böyle olduğunu gördüm. İşinde başarılı olmuş, başarısı arttıkça çevresi genişlemiş, vazgeçemeyeceği bir dünyaya dalmıştı. Onu oradan çekip çıkarmam mümkün değildi, çevresindeki herkes böyleydi, o da bundan mutlu oluyordu. Benim istediğimi yapsa ve her akşam, benim zorumla saat sekizde eve gelse bu benim zaferim mi olacaktı? İstemeden eve gelecek, bunun sonunda bana düşman olacaktı. Bir süre sonra ben de çok çalışmaya başladım, Murat Can doğduktan sonra ise, hem iş hem çocuk, o kadar yorgun oluyordum ki, kuşkulanacak gücü bile kendimde bulamıyordum. Bu, bizim hayat biçimimiz olmuştu. O sık sık akşamları çıkıyor, zaman zaman eve geç geliyor, bol bol yolculuk yapıyordu. O, böyleydi. Ben de yorgun argın evde oturmaktan, Murat Can'la oynamaktan, film izlemekten hoşlanıyordum, Murat Can'dan önce ender de olsa, akşamları bankadaki arkadaşlarla çıktığım oluyordu, ama o doğduktan sonra bunu hiç yapamadım. Yaşamlarımız böyleydi, birbirimizin özel alanlarına karışmıyorduk, bu da evliliğin yürümesini sağlıyordu.

Ama o gece eve hiç gelmedi. Makul bir saatte geleceğini düşünerek yattım, uyudum. Birdenbire uyanıp saate baktığımda beşe geliyordu. Yataktan fırladım. Ona telefon ettim. Çalıyor, açılmıyordu. Genellikle telefonun sesini kapatır, ama telefon hep cebinde olduğu için açması gerekir diye düşünüyordum. İlk aklıma gelen şey bir kaza olasılığıydı, ama gazeteyi aradığımda bunu soramadım. Düşündüm ki böyle bir şey olsa hemen beni ararlar. O zaman ne olmuştu? Belki de gittiği yerde sızıp kalmıştı... Bu da olamazdı, çünkü o saate kadar insanların meyhanelerde, lokantalarda sızmalarına izin verilmezdi. Hem patronun da katılacağı bir yemekte nasıl sızacak kadar içebilirlerdi ? Gün ışıyıncaya dek onu aramayı sürdürdüm. Telefonu açılmadı.

Başka bir kadınla birlikte olduğu fikrini düşünmek istemiyordum. Bu düşünce aklıma geliyor, hemen onu içimden atmaya çabalıyordum. Bir kadınla olabilirdi elbette, ama bu pek de mantıklı değildi. Bir kadınla olsa, eve bu kadar geç gelmezdi. Evdeki kadının aklına ilk gelecek şey, başka bir kadın olacağı için, kuşku çekmek istemezdi. Böyle bir aptallığı hangi erkek yapardı ? Çok çok merak ettim, sakin olmaya, paniklememeye çalışıyordum, sonra kötü bir şeyler olduğunu düşünüp üzülmeye, ağlamaya başladım, daha sonra sinirlendim, sonra yine merak ettim. Murat Can'ın babasız kaldığını, bundan sonra ne yapacağımızı, nasıl yaşayacağımızı bile aklıma getirip hüngür hüngür ağladım, sonra sakinleştim, geleceğine inandım ve geldiğinde onu nasıl karşılayacağıma karar vermeye çalıştım. Yattım, uyuyormuş gibi yapayım dedim... Yatağa girdim, uyuyamadım, kalktım, ortalık aydınlanmıştı... O hâlâ yoktu.

Birkaç saat sonra Esma Hanım gelecek, ben de bankaya gidecektim. Annemi aramam gerekiyordu, sonra da gazeteye haber vermem. O andan itibaren son derece soğukkanlı hareket ediyordum, gözlerim doluyor, boğazıma bir yumruk tıkanıyor, ama ağlamamayı başarıyordum, içim acıyordu ama sakin olmalıydım. Beynimde kızgınlıktan eser yoktu artık, çok ama çok üzgündüm. Kötü bir haber duymaya hazırdım ve Murat Can için sakin olmalıydım. Camdan bakıyordum, gözümden sicim gibi yaşlar akıyordu.

Telefon çaldı.

– Geliyorum merak etme, dedi Bora.

Hiçbir şey diyemedim. Kaskatı kesildim. Tek bir sözcük, tek bir ses çıkamadı ağzımdan.

– Orada mısın Selin, geliyorum, kusura bakma, çok korkunç şeyler oldu, anlatacağım, dedi.

– Tamam, diyerek kapattım telefonu.

Gözlerimdeki yaşlar aniden içeri çekildi sanki. İçimde üzüntü ve keder kalmadı. Sevinemiyordum da. O ana kadar duyduğum o büyük acı aniden büyük bir kızgınlığa dönüştü. O iyiydi, başına bir şey gelmemişti ve bana bir telefon bile etmiyordu. Şu anda karşımda olsa kafasına bir şey indirebilirdim.

"Hayvan" diye bağırdım kendi kendime. "Hayvan... Hayvan... Hayvan..."

Sokak kapısını yavaşça açtı. Ben makyaj yapıyor, sakin olmaya çalışıyordum. Murat Can'ın uyanmasını istemiyordum. Yatak odasına girdi:

– Selin, özür dilerim, neler yaşadım bir bilsen, dedi.

Hiç cevap vermedim.

Hızla anlatmaya başladı...

Müdürler, şefler birlikte yemeğe gitmişler. Patron da gelmiş. Saat on ikiye doğru, tam kalkacaklarken, yazı işleri müdürü, yani Bora'nın en yakın arkadaşı patronla kavga etmeye başlamış, gazeteye bir işadamı hakkında çok önemli bir haber geldiğini, ama adam patronun arkadaşı olduğu için bunu kullanamadıklarını söyleyerek, "Özgür gazetecilik yapamıyoruz" demiş. Tabiî patron buna çok sinirlenmiş, o da adama çok kötü sözler etmiş ve büyük bir kavga başlamış. Masada oturanlar kimin yanında yer alacaklarını şaşırmışlar. Aslında yazı işleri müdürü haklıymış, ama karşısındaki de patronmuş, hepsi adamın haklı olduğunu söylese çok kötü bir durum olacakmış. Saatlerce tartışma sürmüş ve artık restoran kapanacakken adam, "Ben istifa ediyorum" demiş. Patron da "Ne yaparsan yap" diyerek masadan kalkmış. Geceye yazı işleri müdürünün evinde devam etmişler. Sabaha kadar içmişler ve bunu konuşmuşlar. Adamın karısı kalkıp çorba yapmış, hatta bir ara Bora uyumuş orada. Telefonu arabada bıraktığı için duymamış, o karambol içinde sarhoş da olduğu için saatin farkına varamamış, ancak günün aydınlandığını görünce şaşırmış ve ne kadar geç olduğunu anlamış. Biliyormuş, çok ayıp etmiş, ama oradaki hiç kimse evine telefon etmeyi akıl etmemiş...

Hiçbir şey söylemedim. "İnsan telefonunu otomobilde unutsa bile, gittiği yerden bir telefon etmeyi akıl edemez mi" bile demedim. Bir şey söylememi bekliyor, sürekli yüzüme bakıyordu. Birkaç kez pis pis suratına baktım, makyajımı bitirdim, giyindim, Esma Hanım'a kapıyı açtım ve çıkıp gittim evden. Tek bir kelime bile etmedim. Öğleden sonra "Hâlâ kızgın mısın?" diye telefon etti, ama "İşim var!" diyerek kapattım. Akşam normal saatte eve geldi, bütün gece Murat Can'la oynadı, yine hiçbir şey konuşmadım. Gece, "Acaba Murat Can'ın odasında mı uyusam?" diye düşündüm, ama bunu yapmamaya karar verdim, yataktan çıkıp gidecek biri varsa o da ben değildim.

Gittim yattım, sonra o geldi. Yatağa girer girmez, beni okşamaya başladı. Bir yandan beni okşuyor, bir yandan saçımı, yüzümü, boynumu öpüyordu. Öylece yattım hiç kıpırdamadan. O, öpmelerini, okşamalarını sürdürdü, sırtüstü yattım, ellerimi başımın iki yanına, yastığın üzerine koydum, hiç kımıldamamaya kararlıydım. Gözlerimi kapattım. Her yanımı öpüyordu, öylesine arzuluydu ki... Dudaklarımı öperken bile kaskatı duruyordum, dudaklarım birbirine kenetlenmiş gibiydi. Onu öpmedim. Vücudumu öpmeye başladı, tam oraya geldiğinde –Bora bunu çok güzel yapar, dilinin dokunuşu ve ritmi olağanüstüdür– inanılmaz bir zevk duydum. Kendimi bıraksam, çığlık çığlığa boşalacaktım. Hiç bu kadar güzel hissetmemiştim bu dokunuşu... Ama inatla direndim ve yine kıpırdamamayı başardım. İçime girdiğinde çok fazla ıslanmış olduğumu anlaması ise planlamadığım bir şeydi. Kıpırdamayarak onu istemediğimi, zevk almadığımı anlatmak istiyordum, ama bedenimi, beynimi yönetemedim. Belki de anlamamıştır. Çünkü öylesine keyifle, heyecanla sevişiyordu ki. Aslında buna sevişmek denilemezdi, ama büyük bir zevkle yapıyordu her şeyi. Kısa bir sürede her zamankinden daha fazla bağırarak, inleyerek boşaldı.

– Canım benim, dedi ve eli üzerimde, hemen uyuyakaldı.

"İntikamın çok acı oldu Selin" dedim kendi kendime...

28

Can havli bu olsa gerek
Bora

Uzun süre hiç konuşmadı benimle. Canımı sıktı oldukça. Oysa ben elimden geleni yaptım. Pek de içimden gelmediği halde Selin'le çok ilgilendim. Kuşku çekecek kadar farklı bir biçimde ilgilendim. Bunu haksız olduğumu bildiğim için yaptım. Kim olursa olsun, eğer evde seni bekleyen biri varsa, ona geç geleceğini haber vermelisin. Bu, en basit insanlık kuralı. Bunu yapmazsan öküzsün demektir. Ben de yapmadım, yapamadım. Nasıl yapabilirdim? O kadar güzel geçen bir geceyi nasıl yarıda kesebilirdim? Zaten gözüm hiçbir şeyi görmüyordu, yer yerinden oynasa asla o yaşadıklarımdan vazgeçmezdim. O anları hatırladıkça fena oluyorum. Demet muhteşem bir kadın, kedi gibi. Tabiî biraz daha az içmeliydim. Aslında her zamankinden çok içmedim, ama içinde bulunduğum ortam da biraz başımı döndürdü herhalde. Hiç bu kadar gözüm kararmamıştı. Normal bir saatte eve gitseydim bunlar başıma gelmeyecekti. Kızın yanında kırk yıllık sevgililer gibi uyumanın ne âlemi vardı? Uyandığımda sarmaş dolaş yatıyorduk, bir an nerede olduğumu şaşırdım, hele saati gördüğümde. Kız bir de odayı öyle bir karartmış ki, sabah olduğunu da göremiyorsun.

İnsanın gözü dönüyor böyle bazen. Çok tuhaf bir şey bu, eve giderken bile gözüm bir şey görmüyordu. Otomobili kullanırken, hep gece yaşadıklarımı düşünüyordum. Derin bir nefes al, o zamanı kullan, Selin için makul bir senaryo yaz değil mi? Yok. Beyefendi tekrar tekrar geceki kareleri yaşıyor mayışmış bir halde. Dünya umurunda değil, eve gidince aklına ilk geleni söyleyecek, ister inanır ister inanmaz.

Ama can havli dedikleri şey bu olsa gerek. Evden içeri girdiğim anda öykü yazıldı kafamda, anlatırken de buna inanıyordum, çünkü böyle bir şey gerçekten olabilirdi. Arkadaşım patronumla kavga edip istifa etmiş, biz de onun evine gidip sarhoş olup sızmışız... Ne var bunda? Her yaptığımız şey için hesap verip sürekli bir bedel mi ödeyeceğiz... Surat asmalar, dırdırlar... Nasıl kötü kötü baktı yüzüme aynadan. Akşam da çok kötü davrandı, ama hiç de fena değildi doğrusu...

Birazdan Demet'i arayacağım. Ona telefon edip teşekkür etmeliyim. Hani çok mutlu olmasan bile, nezaket icabı kadını bir kez aramalısın, ki ben acayip mutlu oldum. Hatta bunu belli etmek için bir kez daha davet etmeliyim. Gelir mi acaba?

Demet kimdir, nedir, nasıl yaşar, yalnız mıdır, ne yapar, hiç ciddi bir şey konuşmadık ki. Neyse, iyi ki de konuşmadık.

Evet Demet Hanım'ı bir arayalım bakalım.

29

Mutfakta sevişmek

Güler

Çetin, hani yabancı ülkede karşısına çıkan kadınlarla yatmadığı için arkadaşlarının alay ettikleri hoca, geçen gün üniversitenin kafeteryasında, elinde tepsisi, yanıma oturdu. Üzgün görünüyordu. Eşinden boşanıyormuş... Dokunsam ağlayacaktı. Bir kez görmüştüm, çok hoş bir karısı vardı, sarışın yani röfleli, şık giyimli, bakımlı bir kadın. Sanki hoş, bakımlı kadınlardan boşanılamazmış gibi aptalca sordum:

– Neden boşanıyorsunuz? O çok hoş bir kadın sen ise mükemmel bir erkek...

– Benim neyim mükemmel, dedi sıkıntıyla.

– En azından sadakatin, dürüstlüğün, sen bir kadına huzur vermek için yaratılmışsın sanki, dedim.

– Aslında kadınlar huzur falan sevmiyorlar, bunu anladım artık, onlara fazla güven duygusu vermeyeceksin, huzur sıkıcı bir şey, dedi.

– O mu ayrılıyor yoksa senden? diye sordum. Gerçekten şaşırmıştım.

– Evet boşanmayı o istedi üstelik hiçbir neden gösteremedi. Sıkılmış, bunalmış, "İstersen bir süre evleri ayıralım, özgürce yaşamayı deneyelim" dedi, özgürce derken ne kastediyordu bunu da pek anlayamadım.

– Bu güzel bir fikir, evlilik gerçekten bir an geliyor bunaltıyor insanları, biraz kendinizi dinlersiniz, dedim ben de.

– Doğru da, bu farklı biraz. Evde özgürlüğünü kısıtlayan hiçbir şey yoktu. Özgürlük için evden ayrılmayı istemesi mümkün değil. Zaten bu konuşmadan sonra İtalya'ya gitti. Başka bir şey var ortada... Bir erkek var Güler, bu da beni perişan ediyor.

– Neden perişan oluyorsun? Ömür boyu seninle yaşayacak diye bir kural mı var? Aynı şey senin başına da gelebilirdi ve sen onu terk ettiğinde, bu, eşinin çirkin ya da yetersiz olduğu anlamına gelmezdi, işin içinde başka bir erkek olunca neden erkeklerin gururu kırılıyor ki? İlişkilerin de bir ömrü var ve bitiyorlar, dedim. Mantıklı olmak uğruna son derece kaba saba, kırıcı konuştuğumu fark etmiştim, ama söylemiştim bir kez. Üzüntüsüne üzüntü katmıştım sanki.

– Bütün bunları biliyorum, erkeklik gururum kırılmış da değil, ama düşünüyorum da ben o kadar özverili, kibar davranmışken, sıkılıp gidivermesi erkeklik gururumu değil, genel gururumu kırıyor. Kim bilir gittiği adam nasıl üzecek onu, ne denli kaba davranacak.

"Ne biliyorsun gittiği adamın kaba davranacağını, belki de çok süper birisidir" diyecektim, bu kez tuttum kendimi. Kibarlık için diyeceğim bir şey yok ama, belki de o kadar özverili davranmaması gerekiyordu. Belki de ilişkisini çok sıradanlaştırmıştı ve bunu fark etmiyor, bir eksiklik duymuyordu. Ah erkekler, en iyisi bile, kadınların hangi yaşta olursa olsun, niçin mutfak masası üzerinde sevişmek istediklerini anlamaları mümkün değil. Ve o kocalar, en kibarı ve naziği, eşleriyle mutfakta sevişmeyi akıllarına bile getiremezler. Sevişmeyi bir yana bırak, mutfakta soğan doğrayan kadının poposunu ellemeyi bile düşünemezler. Eminim Çetin de böyle şeyler yapmıyordu. Kadını mutfakta mıncıklayıp koridorda öpmüyordu. Yemeğini bitiremeden, sanki düşüncelerimi anlamış gibi sıkıntıyla kalktı masadan.

"Koca olmasalar da aynı, beraberlik başladığında hemen rutinleştiriyorlar ilişkiyi, aynı Sinan gibi." Bu öyküyü Demet'e anlattığımda böyle dedi bana. Anladım ki Demet de bu sakinlikten bıkmış, heyecanı özlemiş. Bora'yla ikinci kez buluşmayı hiç istemediği halde, dayanamayıp yine hiç düşünmeden "Peki" demiş. Çok tatlıymış çünkü Bora telefonda. Yumuşacık bir sesle, "Demet seni özlüyorum" demiş. "Ben de seni özlüyorum" diyememiş Demet özlediği halde, ama "Tamam" deyivermiş. "Neye tamam dedim ki, hiç istemediğim halde söyledim, çok saçma bir cevaptı, çok tuhaftı" diye gülüyordu kıkır kıkır. "O zaman seni bu akşam kaçta alayım" demiş Bora da...

Demet buluşma saati gelip kapıyı açtığında, tokmağa takılı minicik bir çiçek buketi bulmuş, üzerindeki kartta, "Hadi bekliyorum" yazılıymış. Demet çiçekle birlikte binmiş otomobile, "Uçuyordum" diye anlatıyor. Ancak, Bora "Nereye gidelim" dediğinde, Demet'in önerisine çok garip bir tepki vermiş. Bora onun sinemaya gitmek istemesini o kadar abartılı bir şaşkınlıkla karşılamış ki, o da ne yapacağını şaşırmış, hatta çok acayip bir istekte bulunduğunu düşünerek biraz utanmış.

"Çok mu garipti sinemaya gidelim demem?" diye sorduğunda, "Yoo, hayır, çok doğal bir istek" dedim ona ama...

Kadınların, erkeklerle sinemaya gitmek istemeleri bana ilginç geliyor. İnsan daha hiç tanımadığı, ikinci kez birlikte olduğu bir erkekle sus pus oturacağı bir yere niçin gitmek istesin? Sanırım bu, iyice yakınlaşma, samimileşme, hayata dair birlikte, sıradan bir şeyler yapma arzusu. Sinemaya giderek, kadın adama diyor ki, "Artık biz seninle birlikteyiz, çok zamanımız var, bunun küçük bir bölümünü, karanlıkta, sessizce, el ele tutuşarak geçirebiliriz."

Demet'in kafası iyice karışık göründü bana o gün. Bora'yla birlikte olduğu geceden beri Sinan'la yatmamış, yatamamış. Sinan bir kez dokunacak olmuş, istememiş. O kadar istememiş ki, aynı yatağın içinde ona dokunmaktan bile kaçınmış. O günden beri de Sinan'a hiç dokunmamış. Sinan da henüz bu duruma aldırmıyormuş, daha üç beş gün geçmiş, ama Demet, bu durum sürerse ne yapacağını hiç bilmiyormuş.

– Yüreğim hep şuramda, kalbim, aniden önüne çıkan yokuştan hızla inen aracın içindeyken olduğu gibi, hani hoop olur ya, Bora'yı düşündüğümde böyle işte. Geçecek diye düşünüyorum. Bunu tasarlamadığım için, yani Bora'yla birlikte olmak adına hiçbir şey yapmadığımdan, gönlüm rahat. Tasarlamamıştım Güler, öyle gülme... İç çamaşırlarını alırken de aklımda bunları Bora'nın görebileceği olasılığı yoktu... Lütfen inan bana, bakma böyle alaylı alaylı. Aynı güne denk geldi, tesadüf işte... Bak bir daha sana hiç-

bir şey anlatmayacağım. İçime çorap giymemenin nedeni de...
Kendim içindi tabiî... Tasarlamamıştım onunla yatacağımı, asla
böyle bir şey istemiyordum, içim rahat.

Telaşlıydı. Suçluluk duygusundan arınmak istiyordu. Mutlak
bir iç rahatlığı peşindeydi Demet. Sinan'a rağmen, Bora'ya kur
yaparak onu tavlamaya çalışsaydı, onunla yatmayı planlayıp ona
göre davransaydı kendini suçlu hissedecekti, ama şimdi rahattı,
karar vererek yaptığı hiçbir şey yoktu. Hepsi kendiliğinden ol-
muştu, demek ki asla suçlu değildi. Henüz Sinan'ı aldatmamıştı.
En azından ruhen aldatmış saymıyordu kendini. Bunları düşünüp
içini rahatlatmaya çalışıyordu, çünkü suçluluk duygusu onu çok
rahatsız ediyordu. Üstelik Demet farkındaydı, bundan sonrasın-
da karar verip tasarlayarak yapılacaktı her şey, işte o zaman ken-
dini nasıl kurtaracaktı bu suçluluk dalgasından. Bu yüzden hu-
zursuzdu. Üstelik daha Bora hakkında bilmediği öyle çok şey var-
dı ki.

Suçluluk... Yılmaz'ın öldüğü gün duyduğum suçluluk. Belki de
hiç hak etmediğim suçluluk. O gün onun gencecik çökmüş yüzü-
nü, bir deri bir kemik kalmış ellerini öperken içimden geçenler
yüzünden duyduğum suçluluk. Hâlâ içimden atamadığım o duy-
gular. Bu durumda bile olsa onunla, bir ömür boyu yaşamayı de-
liler gibi istediğimi bildiğim halde, onun kurtulduğunu düşünerek
duyduğum bir anlık sevinç ve acaba bu sevinç aslında onun kur-
tuluşu için değil, kendim için mi diye düşünüp durduğum ve de-
rin acılar çektiğim günler.

Onu seviyordum, onu etim, kemiğim, bedenimin bir parçası gi-
bi seviyordum. Bir çocuk sevgisinden de öte bir şeydi bu. Bilirsi-
niz ki çocuk büyür ve size muhtaç olmaktan kurtulup sizden
uzaklaşır. O bana hep muhtaç yaşayacaktı, ben onun yaşama ne-
deniydim. Onsuz olmayı aklımdan bile geçirmiyordum. Ama gece
gelip de, yatağıma çekildiğimde, onun gözleri büyüyüp dikiliyor-
du karşıma karanlığın ortasında. O her şeyin farkında olan, yap-
mak isteyip de yapamayan, söylemek isteyip de söyleyemeyen,
sarılmak isteyip de sarılamayan, sevişmek isteyip de sevişeme-
yen erkek, acı çekiyordu karşımda. Ben onu seviyordum kayıtsız

şartsız. İşte bu yüzden onun için her şeyi yapmaya razıydım. Acısını biliyordum, acısını dindiremezsem onu da mutlu etmeye çalışıyordum, ama ne yalnızlığını ne de acısının şiddetini anlamam mümkün değildi.

Öldüğü gün, acıları, çaresizliği dindiği için mutlu olduğunu düşünmüş, ardından ölümünden mutluluk duymuşum gibi suçlamıştım kendimi. O suçluluk duygum hiç çıkmadı aklımdan. "Kurtuldun sevgilim" dedikten sonraki pişmanlığımı hiç atamadım içimden.

O yüzden suçluluk duygusu nedir biraz bilirim.

30

Sadece öpüşebilir

Demet-Bora

Bora ikinci buluşmanın ertesi günü Demet'in kapısının tokmağına, sıcacık poğaçalar astı, içine, "Seni uyandırmaya kıyamadım" diye not yazmıştı. Demet onu arayıp teşekkür etti. Çok mutlu olduğunu söyledi. Bora ertesi gün, yine aynı şeyi yaptı. Kendini durduramıyordu. Apartman kapısının önünde oyalanıyor, içerden biri çıktığında, apartmana dalıyor, Demet'in kapısının önüne kadar çıkıp getirdiği paketi kapının tokmağına asıyordu. Sonunda bir gün, sabahın onunda, kendini Demet'in kapısında bulduğunda çalıverdi zili. Demet yeni uyanmıştı, duşa girmek üzereydi, kapıyı açtığında hiç şaşırmadı, yalnızca çok, ama çok sevindi. Bora'nın elinde minik bir kek kutusu ve Demet'in sevdiği meyve suyundan vardı.

– Unutmamışsın bunu sevdiğimi, dedi Demet. Bora'ya sarıldı. Özlemle, tutkuyla, arzuyla öpüştüler uzun uzun.

Demet bu adamla ömür boyu öpüşebileceğini düşünüyordu. Bu kadar güzel öpüşen bir erkek olamazdı. Hiç sevişmeseler bile olurdu... Sadece öpüşebilirdi Bora'yla.

Bora Demet'in sabahlığını açmış, onu okşuyordu.

– Geçen gece çok kötüydüm, ama aslında öyle değilimdir, bunun sorumlusu sensin, bir erkek ancak, çok beklediği, çok beğendiği, çok arzuladığı ve kendisini beğenmesini istediği bir kadın karşısında bu duruma düşebilir, dedi.

İkinci buluşmalarında Bora hiç yaşamadığı bir şey yaşamış, sevişmeyi becerememiş, çok çabuk boşalmıştı. Sonra yatağın içinde bir süre daha kalmışlar, ama bir kez daha sevişmeyi denememişlerdi. Bora bu duruma bir anlam verememişti. İlk kez başına geliyordu çünkü, hem de bu kadar önemsediği bir kadınla... Belki de onu göremediği günlerde o kadar çok düşünmüştü ki, birlikte olduğu an, sanki o düşünceleri sevişmekmiş gibi, ona dokunur dokunmaz bitirmişti bu uzun sevişmeyi.

Demet ise bu duruma pek aldırmamıştı. Ten uyuşması nedir diye düşünür dururdu, şimdi bunu anlamıştı. Öyle bir ten uyuşmasıydı ki bu, dudaklarını Bora'nın dudaklarından ayıramıyor, bedeni hep onun bedenine değsin istiyordu. Bora'nın nasıl seviştiğinin farkında bile değildi aslında. Hatta doyuma bile ulaşmamıştı onunla, umurunda da değildi bu. Ona sımsıkı sarılmak, onunla iç içeyken gözlerinin içine bakmak, dudaklarını onunkilerden ayırmamak bugüne dek aldığı hazların da doruklarındaydı.

Demet'i o gece asıl etkileyen, Bora'nın bir süre sonra yataktan kalkıp duş alması, sonra da gitmek istemesi oldu. "Kalabilirsin" demişti Demet... "Hayır gideyim, yarın çok erken randevum var" demişti Bora da. Israr etmemişti Demet. Ama içi burkulmuştu. İlk buluşmada bile sabaha kadar kalan adam, ikinci buluşmada niçin gidiyordu. İşte değişmişti... Erkeklerin ilk sevişmeden sonra, yani kafaya taktıkları, esas amaçladıkları şey gerçekleşince, heyecanları bitmiyor muydu, bitmişti işte onunki de.

"Belki de bitmemiştir" diye düşünüyordu şimdi. Sabahları kapıya gelmeler, çiçekler, poğaçalar, portakal suları... Ya Sinan evde olsa... Ya aniden geliverse. Bugüne dek haber vermeden gelmemesi, bu hiç olmayacak demek değildi ki. Ne korkunç bir şey olurdu. Bunu düşünmek bile istemiyordu Demet. Ama düşünmesi gerekiyordu, çünkü bu sabah ziyaretleri belli ki bitmeyecekti. Üstelik bu kadar özgürce, sevgiyle davranan bir erkeği aldatmış oluyordu. Hayatındaki Sinan'ın varlığını mutlaka artık Bora'ya söylemeliydi. Geceyarısından sonra Sinan'ın eve uğrama olasılığı yoktu, ama sabah her an gelebilirdi. Ve o şimdi, Sinan'ın gelme tehlikesine, her an kapının içinde bir anahtarın dönme olasılığına rağmen, kapının hemen önünde Bora'yla sevişiyordu. Demet çırılçıplaktı, Bora tamamıyla giyimli. Dudakları Bora'nın ağzına yapışmış gibiydi. Giriş kapısının önündeki kilimin üzerinde, kim gelirse gelsin umursamadan, korkmadan, avaz avaz bağırarak ilk doyumunu yaşadı Bora'yla. Bora da haykırarak boşaldı. Sonra gülmeye başladılar, sanki meraklı ve ayıplayan apartman halkı kapının önünde toplanmıştı ve onlara meydan okuyor gibiydiler.

Bora, "Kedi hep bizi izledi, çok utandım" dedi, Demet'i öptü, fermuarını çekti ve gitti...

Mutlu muyum ben?

Demet-Sinan

Hiç yapmadığı bir şey olduğu halde, Sinan Demet'i salondaki kanepenin üzerinde arzuyla öpmeye başladı. Usulca geri çekildi Demet.

– Ne oluyor Demet, dedi Sinan.

– Perdeler açık, dedi Demet.

– Evet, ama dördüncü kattayız.

– Evet, ama perdeler açık.

Sinan Demet'i öpmek istedi yeniden, sımsıkı sarılarak.

– Kimse görmez bizi burada, sen çırılçıplak bile dolaşırsın ya.

Demet sertçe itti Sinan'ı:

– Sen de hiç burada öpüşmezdin, nereden çıktı bu birdenbire?

Biraz sinirlenmişti Sinan Demet'in bu tepkisine:

– Özlemişim seni Demet, ne var bunda bu kadar şaşıracak?

Hoyratça öpmeye başladı Demet'i.

– Bırak, dedi ve itti yine Sinan'ı Demet.

Biraz fazla yüksek sesle bağırmış, biraz fazla sertçe itmişti. Sinan da biraz fazla yüksek sesle sordu:

– Neler oluyor söyler misin? Kaç gündür bir tuhaf değil misin?

– Senin istediğin zamanlarda, senin istediğin gibi mi davranmam gerekiyor? Beş yıldır böyle yaşadık, senin istediğin gibi, yetmedi mi? Şimdi artık benim istediğim gibi yaşayalım diyorum.

– Biz, ikimiz istediğimiz gibi yaşamadık mı bugüne dek?

Demet ayağa kalktı, televizyonu kapattı:

– Hayır Sinan, hayır, diye bağırdı.

Sinan sakinleşmişti, tekrar sordu:

– Neler oluyor Demet, nedir senin istediğin gibi yaşamak, ko-

114

nuş benimle canım.

Sinan'ın birden sakinleşmesi, Demet'i iyiden iyiye sinirlendirmişti. Yüzü kıpkırmızı oldu, bir an ne söyleyeceğini bilemedi.

– Sanki her şey mükemmelmiş gibi nasıl bu kadar sakin olabiliyorsun Sinan? Her şey mekanik, her şey monoton, sen bir robot gibisin, ilişkimizin hiçbir heyecanı yok, hiçbir başarımız yok bunları görmüyor musun?

"Hiçbir başarın yok" diyecekken, "başarımız" demişti. İş hayatındaki başarılar üzerine hâlâ Sinan'ı incitmek istemiyordu.

– Başarı ne demek, dedi Sinan sakince. Sinan'ın sakinleşmesi Demet'e onun ukalalıklarını anımsatıyor, bu iyice sinirini bozuyordu.

– Başarı... Başarı... Başarı.... Ne demek bunu bilmiyor musun? diye bağırdı, birden Sinan'ın yanına gitti. Neden evlenmiyoruz biz Sinan diyerek baldırına bir tekme savurdu.

"Şiddet eğilimli bir kadın bu" diye geçirdi içinden Sinan.

– Bunu biliyorsun, işimi yoluna koymak istedim hep.

– Ama işin hiç yoluna girmedi, öyle değil mi?

– Biliyorsun az kaldı, her şey düzelecek.

Demet iyiden iyiye sinirleniyor, Sinan'ın kafasına bir şeyler indirmek istiyordu.

– Hiç merak ettin mi bunca yıl benim ne istediğimi, ne düşündüğümü. Hiçbir işi beğenmedin, çalışmanın alçaltıcı bir şey olduğunu iddia ettin, borç parayla yaşamaktan gocunmadın, bana çocuk isteyip istemediğimi bile sormadın, kürtaj olduğum gün bile sanki her şey çok doğalmış gibi davrandın. O çocuğu istiyor muydum, içimden kopup giderken üzülüyor muydum, düşünmedin bile. Haftada birkaç gün gelip canın çekince benimle seviştin. Bugüne dek neden hiç bu kanepenin üzerinde beni öpmedin?

– Ne var bunda Demet, bugüne dek öpmemiş olabilirim, ama bugün istedim.

– Allah belanı versin, her şey sen isteyince mi olacak? İstemiyorum işte, bu gece, bu kanepenin üzerinde sevişmek istemiyorum. Haftada üç gün görüşüp bin yıllık evliler gibi iğrenç bir yaşam istemiyorum. Bıktım artık, bıktım senden. Yalnız kalmak istiyorum.

O kadar bağırdı, o kadar ciddi konuştu ki Demet, Sinan'ın yüzündeki o umursamaz gülümseme yerini endişeye bıraktı. Ayağa kalktı:

– Sen bir bunalım geçiriyor gibisin, bir şey mi oldu iş yerinde? dedi.

– İş yerimde bir şey olmadı, nah şuramda bir şeyler oldu, şurada, kalbimde, neyi, niçin beklediğimi düşündüm birden, neyi niçin bekliyorum ben Sinan. Hiç mutlu değilim ki... Yalnızca kabullenmişim bir şeyleri, hepsi bu.

Sinan Demet'e sarılmaya çalıştı.

– Dokunma bana! diye bağırdı Demet. Gözlerinden yaşlar akmaya başladı.

– Gitmemi ister misin?

– Evet git, beni bırak, biraz yalnız kalayım lütfen, bunalıyorum, sıkılıyorum, düşünmeme izin ver.

– Gidiyorum ve sen beni arayıncaya kadar da gelmeyeceğim, bu kadar aşağılanmayı hak etmiyorum ben, dedi Sinan.

– Hak ediyorsun, bir düşün bakalım ben aylardır mutlu muydum, bir düşün yaşadıklarımızı... Şu kanepenin üzerinde pineklteyip alelacele sevişmekten, arada bir sinemaya gitmekten başka ne yaptık? Bir düşün bakalım en son ne zaman bana seni seviyorum dedin ya da bir tek güzel söz söyledin, minicik bir armağan getirdin... Bir düşün Sinan, sıkılınca ya da köşeye sıkışınca gitmekten başka bir şey de gelmez aklına zaten, dedi.

Gitti kapıyı açtı, Sinan'ın çıkmasını bekledi, arkasından güm diye kapattı.

Uzun uzun ağladı, bir uyku ilacı içti, yattı.

32

Adamın kalbini kırdım

Selin-Bora

Yatmışlardı... Selin elini Bora'nın bacağına koydu, yukarılara doğru okşamaya başladı. Uzun süredir böyle bir şey yapmamıştı. Alışkanlık olmuştu, sevişmeleri hep Bora başlatır, o da asla hayır demezdi.

Bora hafifçe mırıldanarak, belli belirsiz kıpırdadı.

Selin okşamalarını sürdürdü. Avucunun içini Bora'nın bacaklarının arasına bastırdı, tam oraya... Hareketsiz kalarak bekledi. Bora'da hiçbir kıpırdama olmadı. Öylece, kımıldamadan yatıyordu kocaman bedeni ve hareketsiz organıyla.

Selin elini kıpırdatmaya başladı, hafifçe okşuyordu. Bora sırtüstü öylece yatıyordu.

Selin biraz daha sokularak, kocasının boynunu öptü. Bora ona doğru dönerek dudaklarına minik bir öpücük kondurdu ve başını çevirip tavana bakmayı sürdürdü.

Selin bacağını Bora'nın üzerine doğru uzattı, vücudunun yarısıyla Bora'nın üzerine çıkmış, onu dudaklarından öpüyordu. Bora da ona sarıldı. Aslında sarılır gibi yaptı. Elleri, kolları hiç kıpırdamadan, hareketsiz, Selin'in sırtında duruyordu.

Selin, Bora'nın karnından başlayarak öpe öpe aşağılara indi, ağzını kocaman açarak, hepsini içine aldı. Bora buna hiç dayanamazdı.

Ama Bora bu kez dayandı. Hiç, ama hiç kıpırdamadı. O küçük organ, sakince duruyordu Selin'in ağzının içinde.

Selin bu yaptıklarından başlangıçta tuhaf bir zevk alıyordu. Neden birdenbire böyle bir seks saldırısına geçmişti bunun şaşkınlığı içindeydi aslında. Belki de, çocuk doğduktan sonra dişiliğinin yok olduğunu düşünüyor, bundan böyle yine kadın gibi bir kadın olmaya geçişin kararını veriyordu o gece. Hem şaşkın, hem memnundu kendinden. Yaptıklarından biraz utanıyor, ama bu utancından keyif alıyordu. Bora'nın cilve yaptığını sanıyor, birdenbire coşkuyla sevişmeye başlayacağını düşünüyordu. Bora da ise coşkudan eser yoktu, inanılır gibi değildi ama, Bora gerçekten kıpırdamıyordu. Hiçbir yeri uyanmıyordu. Selin sinirlenmeye başladı. Başını kaldırdı:

– Neyin var Bora? dedi.

– Başım ağrıyor, dedi Bora.

Selin sinirini belli etmeden gülmeye çalıştı.

– Ne zamandan beri erkeklerin de başı ağrımaya başladı, ben bunu bir kadın bahanesi sanırdım.

– Bizim canımız yok mu, başımız ağrıyamaz mı? dedi Bora da.

Selin aniden yatağa oturmuş, dikkatle Bora'ya bakıyordu. Siniri dalga dalga artıyordu. Utanmış, gururu kırılmıştı. O bir kadındı ve ilk kez yanındaki erkek onu istemiyordu.

– Neler oluyor Bora? dedi.

– Hiçbir şey yok, uzatma.

– Nasıl hiçbir şey yok, şu halimize baksana, beni istemiyorsun Bora. Bu, hiç olamayacak bir şeymiş gibi, şaşkınlıkla haykırmaya başlamıştı Selin. Beni istemiyor musun Bora?

Bora da gerginleşmişti iyice. Selin'i incitmek istemiyor, ama sinirini engelleyemiyordu.

– Selin şımarıklık yapma, uzatma, bir şey yok.

– Nasıl bir şey yok, şunun haline bak... Hareketsiz penise nefretle baktı.

Bora çok sinirlenmişti. Murat Can duymasın diye bağıramıyor, ama sert bir tonla konuşuyordu.

– Suç mu yani şimdi bu, robot muyum ben... Her an hazır bir makine miyim?

– Ben her an hazır bir makine miydim bu güne dek? Beni istemiyorsun sen, niçin istemiyorsun Bora?

– Bunun istememekle ne ilgisi var Selin, uzatmasana. Bir erkeğe böyle bir şey için sitem edilir mi? Şu andan sonra, böyle cıyak ciyak bağıran bir kadınla ne yapabilirim ki zaten? Selin ağlamaya başlamıştı... İlk kez sevişmeyi başlatmaya çalışmış, ama reddedilmişti, utanıyordu, onuru kırılmıştı.

– İlk kez bana böyle bir şey yapıyorsun, ben bunu hak edecek ne yaptım...

– Sen de ilk kez bana böyle bir şey yapıyorsun. Belki de bu ani saldırı karşısında şaşırmıştır organlarım.

Selin'e göre Bora, kendi üslubuyla ona sitem ediyordu, "Bu benim kocam" diye düşündü, utanılacak, onur kırılacak hiçbir şey yoktu, madem başlatmıştı, bu gece böyle kötü bitmemeliydi, elini kocasının karnına koydu yeniden, kısık bir sesle:

– Hadi Bora, lütfen, dedi.

– İnat ettin değil mi inat, mutlaka dediğin olacak... Robot emrinizde Hanımefendi, dedi Bora ve aniden yataktan fırladı. Pantolonunu, gömleğini giydi...

Kapıdan çıkarken:

– Durup dururken deli ediyorsun adamı deli, dedi.

Kapıyı vurup çıktı. Zaten evden çıkmak için bahaneler arıyordu.

Bir süre sonra kendini Demet'in kapısında buldu. Sitenin içinden üç kez geçti, otomobilini park etti ve "Demet seni seviyorum" mesajını gönderdi.

Demet uyku ilacı içmişti, uyuyordu, mesajı duyamadı. Bora kapıyı çalmaya çekindi.

Selin bir süre daha ağladı. Aslında yaptıklarına pişman olmuştu, düşündükçe utanıyor, "Bir erkek her zaman sevişmeye hazır olacak diye bir şey yok, nasıl kalbini kırdım, utandırdım onu" diye üzülüyordu.

"Neden istemedi, neden uyarılmadı" sorusunu aklından atıyor, çok büyük haksızlık ettiğine inanıyordu.

Bir saat sonra Bora eve döndüğünde, Selin yatağın ucuna kıvrılmış, uyur gibi yapıyordu, Bora yatağa süzüldü ve uyur gibi yaptı.

İki sıcak poğaça için

Demet-Bora

"Neden evlenmedik biz, neden hep evlenecekmiş gibi yaparak, bunu hiç dile getirmedik?" diye düşünüyordu Demet. Sinan'la aralarında alyansa bile benzemeyen bir yüzük takmışlar, bundan sonra da evliliğin sözünü hiç etmemişlerdi. Birkaç şakalaşma dışında...

Belki de aslında hiç evlenmek istemediklerini aklına bile getirmiyordu. Yakışıklı, iyi kalpli, sadık, güvenilir bir erkekle yaşamanın verdiği iç huzurunu bilinçli bir karar vermeden, arayışlara, heyecanlara, kavgalara tercih edişinin nedenini bir kez bile düşünmemişti.

Belki de düşünmesi için, bir başka erkeğin ona, sabahları poğaçalar, çiçekler getirmesi, iltifat dolu mesajlar çekmesi gerekiyordu. Bambaşka bir insana dönüşmesi, kalbinin küt küt atması için bu kadarcık bir şey yeterliydi demek.

Sanki üzerinden bir kabuk çıkmıştı, altından daha hassas, ama daha kararlı bir kadın çıkmıştı. Sanki büyümüş, olgunlaşmış bir kadın.

Demet daha kendindeki bu değişikliğin farkında değildi.

Farkında olan bir kişi vardı; "İki poğaça seni değiştirdi" demişti annesi gülerek.

Sabahları kapıya bırakılan iki sıcak poğaça, sonsuz bir ilgi anlamına geliyordu. Elbette Bora bile bu poğaçaların yaptığı etkiyi planlamamıştı. Çok ama çok samimi, plansız bir davranıştı onun yaptığı. İçten getirilen poğaçalardı onlar ve kalbinden vurmuştu işte kadını.

Demet sabah Bora'yı düşünerek uyandı. Uzun zamandır ilk

kez, sabah uyandığında bir erkek yanındaymış gibi hissediyor, daha gözünü açmadan, onu düşünmeye başlıyordu. Bu, hiç tatmadığı olağanüstü bir duyguydu. Belki de aşk sadece buydu, sabah uyandığında, gözünü bile açmadan, bir kişiyi düşünmek. Belki de aşk bu denli basit bir şeydi işte. Sabah uyandığında onu düşünmek aşktı, sabah uyandığında o aklına gelmiyorsa, aşk bitmiş demekti... Peki o kişi her an yanında uyanıyorsa? Nasıl anlayacaktın onu düşünüp düşünmediğini... Yani aşkın bitip bitmediğini? Omuz silkti Demet.

İçinde derin bir mutsuzluk, ama bir o kadar da büyük bir coşku vardı. Kurtulmayı hiç düşünmediği bir şeyden kurtulacak olmanın mutsuzluğu, yeni bir kavuşmanın ve bilinmeyenin coşkusu... Hemen Bora'yı aramak istedi. Onu arayıp bazı şeyleri söylemesi gerekiyordu. Sinan'ı yani... Yani hayatında bir başka erkek olduğunu ve onu aldattığını ve aslında aldatmak istemediğini, yalanlara dayalı bir yaşamı sürdüremeyeceğini...

Daha yüzünü yıkamadan, telefonunu aldı, Bora adını buldu, tuşa bastı:

– Bora nasılsın, dedi.

– Ben de seni arayacaktım, bu akşam buluşalım, dedi Bora.

– Tamam, saat sekizde, dedi Demet.

Konuşmayı uzatmamışlardı. Ayrı ayrı yaşadıkları, ama birbirine çok benzeyen o geceden sonra ikisinin de sesi ve konuşması birbirinin sesine ve konuşmasına benziyordu. Sakin, yumuşak, kederli ve özlem dolu. Ama her ikisi de kendi yaşadıklarıyla öylesine doluydu ki, karşısındakinin ses tonundaki özelliği ve birbirine benzerliği anlayamamışlardı.

Akşam çok geç geldi. Saatler bitmek bilmedi. Demet annesiyle telefonda konuştu, sonra çikolatalı kek yaptı, son derece sakin görünüyordu. Bora ise çok sinirliydi, sekreterinden birlikte çalıştığı gençlere kadar herkesi azarlayıp durdu. Hatta bir ara odasına giren yaşlı futbol yorumcusunun bile "İşim çok abi" diyerek kalbini kırdı.

Bir yanı eve gitmek istemiyor, ama bir yanı da eve gitmesi gerektiğini biliyordu. Hayatının kesin koşuluydu bu, üstelik zorlama bir koşul değildi, orada, o evde, görmeden asla yaşayamayacağı bir kişi vardı. Murat Can ona sevmeyi, ona özlemeyi öğreten varlıktı. Onsuz olmayı aklından bile geçiremezdi. Ama Selinsiz olabilirdi... Olabilir miydi? En azından bir süre için bunu yapabilirdi. Belli belirsiz bu düşünceler aklına düşüyor, düşer düşmez bunları uzaklaştırıyor, ama işte bu uzaklaştırma aşamasında deli gibi sinirleniyordu.

Saat yedide işten çıktı. Defalarca Selin'in numarasına bastı sonra vazgeçti. Ok yaydan çıkıyor, kayalar yuvarlanıyordu. Umursamazlık değil, kararlılıktı telefon edemeyişi... Aklında sadece ve sadece Demet vardı. Murat Can'ı bile düşünmemişti bugün.

Kapıyı çaldığında, "İniyorum" diye bağırdı Demet. Boğuk ve cırtlak ses bu kez güldürememişti Bora'yı. Canı sıkılıyordu. Ne konuşacaklardı ki? Ne konuşacaklardı? Ne?

Neyi, nasıl söyleyecekti ona?

Şöyle bir alelacele öpüştüler. Deniz kenarında ilk gördükleri balık restoranına girdiler. Yakalanmak, görünmek gibi endişeleri hiç yokmuş gibiydiler.

İkisi de yaşadıkları gecenin ağırlığı altında, sanki birbirlerinin ne yaşadığını biliyormuşçasına, ama bilmeden, şefkatle bakıştılar, aynı anda birbirlerine "Nasılsın?" diye sordular.

Garsonun bir an önce yanlarından gitmesini istiyorlardı, hızla siparişlerini verdiler. Şarap kadehlerini tokuşturdular.

Demet telaşla konuşmaya başladı, hemen başlamazsa bunu asla yapamayacağını biliyordu.

– Bora, sana bir şey söylemem gerek, benim hayatımda uzun süreli bir ilişkim var... Beş yıldır falan... Nişanlı gibi bir şey... Ama ayrıldık gibi... Bilemiyorum... Bunu sana söylemem gerektiğini düşündüm. Dün gece...

– Nişanlı gibi mi, parmağındaki yüzük nişan yüzüğü mü yani?

– Evet, sayılır, dedi Demet.

Bora, yumruk yemiş gibiydi, beyninden vurulmuşa dönmüştü. Demet'in nişanlı bir kız olabileceği aklının ucundan bile geçmiyordu. Sabahları evine giderken, kapısına poğaçalar, çiçekler koyarken... Kapının önünde deli gibi sevişirken... Bir nişanlı mı vardı çevrede, nasıl olabilirdi ki bu? Nasıl olabilirdi? Evet o da evli bir erkekti, ama bu evlilikti, mecburdu yani... Oysa o nişanlı bir kız... Saçmalıyordu. İçinde kopan fırtınayı Demet'e belli etmemeyi başardı. Birazdan sıra kendisine gelecek, o da hayatında bir kadın, bir de çocuk olduğunu söyleyecekti. Evet söyleyecekti. Şimdi söyleyemezse, Demet bunu başka bir yerlerden öğrenecek, bu da asla tamir edemeyeceği bir yaraya dönüşecekti.

Uzun bir sessizlik oldu. Sakince yemeklerini yiyorlardı. Demet, Bora'nın onun nişanlı olduğu haberine üzüldüğünü düşünüyor, Bora ise evli bir erkek olduğu halde, onun nişanlı olmasına neden bu kadar üzüldüğüne sinirleniyordu.

– Neden susuyorsun, ne düşünüyorsun? dedi Demet.

Bora'nın içerlerinden bir yerden, kalbinin en kapkara, en koyu köşesinden, Demet'i yaralama arzusu doğdu. Ciddi bir yara aldığını düşünüyor, bundan sonra söyleneceklerden Demet'in de yaralanmasını istiyordu, ama o nişanlı bir kız olduğuna göre Bora'nın evliliğine aldırmayacağını sanıyordu. Birdenbire ağzından döküldü sözcükler:

– Murat Can'ı düşünüyorum, dedi.

Demet'in yüreği bir boşluğa düşmüş gibi oldu, o kadınca duygusallıkla Murat Can'ın kim olduğunu hemen anladı, yüzü bembeyaz olmuştu.

– Murat Can kim? dedi yine de.

– Oğlum, dedi Bora.

– Evlisin değil mi? dedi Demet. O kadar zayıf bir ses çıkmıştı ki ağzından, Bora duyamamış, ama ne sorduğunu anlamıştı.

– Evet, dedi bir suçlu gibi.

– Ben de seni aldattığımı düşünüp üzülüyordum, Sinan'ı değil seni aldattığım için, dedi Demet.

Ağlamak üzereydi. Donup kalmıştı. Hayatının en acı anı olarak bu geceyi hatırlayacağını hissediyordu. Bunu aklına bile getirmemiş olmasına şaşıyor, kendi aptallığına lanet ediyordu. Ne yapması gerektiğini bilemiyordu. Bin bir türlü şey aynı anda aklından geçiyordu.

"Peki ne yapacağız Bora, ben seni seviyorum" diyerek ağlamaya başlamak... "Evli de olsan fark etmez, bu senin sorunun, benim değil" diyerek kadeh kaldırmak... "Allah belanı versin, iğrenç yalancı" diye bağırarak hemen kalkıp gitmek... Elindeki bardağı kafasından aşağı boşaltıp sonra da dizine bir tekme savurup kalkıp gitmek...

– Seni kaybetmek istemiyorum, dedi Bora.

– Kaybedeceksin ama, dedi Demet.

Bir süre sustular. Demet kendini toparlamıştı. Konuşmaya başladı.

– Evet kaybedeceksin Bora... Evli bir erkekle birlikte olamam... Evli bir erkekle, gizli kaçamak yasak bir ilişki yaşayamam. Hele seviyorsam bunu asla yapamam. Kendime bu haksızlığı yapamam Bora...

Eve giderken hiç konuşmadılar. Siteye yaklaştıklarında Demet onu içeri çağırmayacağına emindi. Bora da yukarı çıkmayı teklif bile etmedi. Birbirlerinin hayatlarındaki esas kişileri deli gibi kıskanıyorlar, bunu belli etmemeye çalışıyorlardı. Aslında yapacak bir şey yoktu. Evli ve nişanlı olmak bir suç da değildi.

– Hoşça kal Bora, dedi Demet... Elini sıkmadı, öpmedi...

– Güle güle Demet, dedi Bora da.

O gece hiç ağlamadılar... Gerçeğe boyun eğmiş gibiydiler. Üzgün, kararlı ve mecbur...

34

Hiç yalan söylemedim
Güler

Hiç yalan söylemem. Herkes söylemediğini iddia eder ama, ben gerçekten söylemem. Belki de şanslı bir kadın olduğum için böyleyim. Çünkü çocukluğumdan beri yalan söylemek zorunda bırakılmadım hiç. Hayatım boyunca, yalan söylemem gereken hiçbir şeyle karşılaşmadım. Benim için, yalana baş vurmayan insanlardan çok, çevresindekileri yalan söylemek zorunda bırakmayan insanlar daha önemlidir. Herhangi bir nedenle elinde güç olan kişi, yanındakileri ürküterek, baskı yaparak yalan söylemeye mecbur ediyorsa, yalanı söyleyen mi hatalıdır, söyleten mi? Ne annem, ne babam, ne Yılmaz beni yalan söylemek zorunda bıraktı, o yüzden onları hayranlıkla anıyorum her zaman, benim yalancı olmayışımın nedeni onlardır.

O kadar yalan söylememeye alışmışım ki, doğruları söylemek uğruna zaman zaman kırıcı olduğumu bile fark ediyorum, ama o an düşündüğümü söylemezsem şayet, çok kötü bir şey yaptığım duygusuna kapılıyorum. "Bu saç rengi sana çok yakışmış" kadar basit bir yalanı bile söyleyemiyorum. Bunu söylersem o kişiyi aldattığım duygusuna kapılıyor, kendimden hoşlanmıyorum.

Yılmaz bir anlam çıkarmaya çalışarak, ısrarla gözlerimin içine bakarken, yanına yatıp saatlerce konuştuğum günlerde bile ona yalan söylememiştim. Onun kulağına iyi olacağını, her şeyin düzeleceğini, eski günlerimize kavuşacağımızı fısıldıyordum. "Yeter ki dayan, güçlü ol, işte hep beraberiz, eskisi gibi iyi olacağımıza inan" diyordum. Böyle olacağına inanıyordum, bunları asla ona güç vermek için kalbimden uydurmuyordum. Beni dinlerken gözlerini gözlerimden bir dakika bile ayırmıyordu. Gözleriyle gülü-

125

yordu. O da inanıyordu her şeyin eskisi gibi olacağına. O da inanıyordu minik suyılanlarından korktuğumuz için çığlıklar atarak girdiğimiz o gölde tekrar yüzeceğimize, o da inanıyordu sörf yaparken cayır cayır yanıp, akşam yoğurt sürülmüş vücutlarımızla, birbirimize dokunmadan sevişmeye çalışırken katıla katıla güleceğimize, o da inanıyordu basket maçlarında takıma amigoluk yapacağımıza, o da inanıyordu otel bulamadığımız için bir kamyonun kasasında uyuyacağımıza... Yeniden...

Saatlerce anlattıklarımı, yani yaşadıklarımızı dinlerken gözlerinin içi gülüyordu. O an her şey duruyordu ve biz tekrar geçmişi yaşamaya başlıyorduk. Yaşadığımız geçmiş değil o an gibiydi. Kazaya kadar yaşadıklarımızı en ince ayrıntılarına kadar tekrar tekrar ona anlatırken, bunlar bana da geçmiş gibi gelmiyordu aslında. Sanki o an yaşıyorduk... O an yaşıyormuşçasına tatmin olmuş, mutlu, huzurlu ayrılıyordum yanından son cümleyi söyledikten sonra. O da mutlu ve huzurlu, yüzünde gizli bir gülümseme derin bir uykuya dalıyordu.

Benim bebeğimin masalları, yaşadıklarımızdı... Aydede masallarını ise kendi bebeğimize saklıyordum, buna inanıyordum.

O gün... O seviştiğimiz mucizevî gün, bir bebeğimiz olacağına inanmıştım. O mucize ben zevk alayım diye değil, ikimizin bir bebeği olsun diye gerçekleşmişti belki de. Bir çocuk doğuracaktım ve bu çocuk sayesinde onun iyileşmesi çabuklaşacaktı. Bir bebeği kucağa alma dürtüsünden daha güçlü bir şey olamazdı. Ertesi gün karnımı kontrol etmeye başlamıştım. Her gün aynanın karşısında bedenimi inceliyor, göbeğimi okşuyordum. Haftalarca sürdü bu. Aynaya yandan bakıyor, karnımın şişmeye başladığını görüyordum. Gebe olmadığıma inandıracak hiçbir şey gerçekleşmiyordu bedenimde işin garibi, yani âdet görmüyordum.

Hiç kimseye söyleyemiyordum gebe olduğumu. Felçli, yatalak bir adamla nasıl olur da sevişebilir, bir de hamile kalabilirdim? Buna kimi inandırabilirdim? Bebek doğduktan sonra öğrenecekler, Yılmaz iyileştiğinde ise her şeyi anlayacaklardı. Üzerime bol kazaklar giyiyordum. Yanına yattığımda Yılmaz'ın elini alıp karnıma koyuyordum, ona söylememiştim, kendisi anlasın istiyordum.

Dört ay sonra bebeğin kız mı, erkek mi olacağını öğrenmek için, yolda ilk gördüğüm jinekolog tabelası asılı binaya daldım. Doktor kısa bir süre muayene etti ve kederli bir ifadeyle, "Siz gebe değilsiniz" dedi. Dik dik suratına bakıp, "Hayır" dedim, "gebeyim" ben. Hiç sinirlenmedi, bu tür olaylara alışık gibiydi. Hayatımda bir üzüntü olup olmadığını sordu... "Ruhsal travma yaşandığında bu gibi durumlar, mesela âdet görmemek olabilir" dedi. Ona hayatıma dair ipucu vermedim. Hiçbir şey anlatmadım. Yol boyunca ağladım, ağladım... Eve gittiğimde Yılmaz'a da bir şey belli etmedim. Yine de içimde bir ümit vardı.

Epey sonra Yılmaz bana dedi ki, "Bu sevdadan vazgeç... Çocuk olmasına gerek yok, ben sadece seni terk etmemek için çabalıyorum var gücümle. Bir de bebekle yorma beni. Senin için yaşamak istiyorum." Bir uçurumun kenarındaydık, oradan denize atlamaya hazırlanıyorduk... El ele tutuşmuştuk. Ona sevgiyle baktım, sımsıkı sarıldık birbirimize, sonra kendimizi uçurumdan aşağı bıraktık, uçmaya başladık. Uçtuk, uçtuk, uçtuk... Hafif bir rüzgâr esiyordu, altımızdan bulutlar geçiyordu, o kadar mutluyduk ki... Uyandığımda odasına koşup onu sevgiyle kucakladım, teşekkür ettim. Gerçekten ve özellikle rüyama girip bunları anlattığına inanıyordum. Neyse...

Şimdilerde ise derin ve asla içinden çıkamayacağım bir yalanın içinde yaşıyorum. Selin ile Demet'in yaşadıklarını en ince ayrıntılarına kadar biliyor, ama bunu onlara söyleyemiyorum. Söylersem hayatlarının bütün akışı değişecek, hiçbir şey kendiliğinden gideceği noktaya kadar gidemeyecek, bunu hissediyorum. Gerçek insanların senaristi olmak istemiyorum. Onlara iyilik yapayım derken zarar vermekten korkuyorum. Ama her ikisini de dinlerken, onların, kahramanlarını bile bilmeden anlattıkları bir filmi, tüm kahramanlarına kadar tanıyarak dinliyor, bundan büyük mutsuzluk duyuyorum.

Demet'in, hayatındaki erkeğin Bora olduğunu söylediği anı hiç unutamıyorum. "Spor yazarı Bora Eren mi?" demiştim şaşkınlıkla. O da şaşkınlığıma şaşırmış, yüzümün al al olmasını Bora'yı tanıdığıma ve ondan hoşlanmadığıma yormuş, telaşla "Tanıyor musun, sevmiyor musun?" diye sormuştu. "Televizyondan biliyorum, ukala bir adam" demiştim kendimi sakinleştirmeye çalışarak. Selin'i de Demet'i de çok seviyorum. İkisinin de acı çekmesine kendi kardeşlerimmiş kadar üzülüyor, onlara bir akıl verememenin suçluluğunu ve yürek darlığını yaşıyorum.

Selin Bora'nın kendisinden hızla uzaklaştığını, günlerdir ona dokunmadığını, hatta konuşmadığını, geceleri başını alıp gittiğini, bunun sebebini bir türlü anlayamadığını anlatıyor. Bir kez sordu; "Acaba başka bir kadın olabilir mi Güler Abla?" diye. En sıradan insanın söyleyeceği, en sıradan yanıtı verdim, "Böyle şeyleri hiç aklına getirme, erkekler arada sırada bu tür bunalımlar yaşarlar, sabırlı ol."

Demet ise Bora'ya öfke duyuyor, ama onu çok özlediğini anlatıyor. Evli oluşunu bir suç olarak görmüyor elbette, ama Bora'ya derin bir kızgınlık duyuyor. O geceden kısa bir süre sonra Bora onu defalarca aramış, hatta iki kez kapısına gidip o sıcak poğaçalardan bırakmış. Demet yanıt vermemiş bunlara. "Evli bir erkek hem de çocuklu" diyor nefretle yüzünü buruşturarak. Demet Sinan'a da yanıt vermiyor, "Onu görmeye dayanamam" diyor. Sinan'ın aşırı duygusal mesajları ise onu yumuşatmaktan çok çileden çıkarıyor.

Kendi kendime "Dürüst ol, bu iki kızı tanımasaydın, her birine ne söylerdin, öyle doğal davran" diyorum. Eğer Selin'i tanımasaydım, Demet'e, "Ara onu, aşkı bulmuşsun, yitirme, belki de mutsuz bir beraberliği vardır, aralarında bir şey kalmamıştır, sevgileri bitmiştir, evliliğin bitişine sen neden olmayacaksındır, ara, aşkı yaşa doyasıya" diyebilirdim.

Eğer Demet'i tanımasaydım, Selin'e, "Hoş, neşeli, cici bir kadın ol, evliliği monotonluktan kurtaracak bir şeyler yapmaya çalış, ama doğal ol, onun üzerine düşme, dostça davran, konuş, şimdiye dek seni üzecek bir şey yapmamış bir erkek, demek ki ciddi bir sorun yok, onu seviyorsan, ona iyi davran" diyebilirdim. Bunları söyleyemiyorum, onlara önerdiğimi, doğal olmayı kendim beceremiyorum, tek yapabildiğim ise ikisine de ısrarla "Seviyor musun?" diye sormak oluyor. "Seviyorum" diyorlar. Seviyorlar gerçekten, gözlerinden anlıyorum bunu. Aralarındaki tek fark ise, sevgilerin birisinin çok taze ve sıcak, ötekinin biraz bayatlamış ve soğumuş olması. Taze olanı daha keyifli, daha coşkulu görünüyor, çünkü sıcak. Dokununca hissediliyor, el yakıyor. Bu sevgi bayatlayıp soğuyana dek, akıldan hiç çıkmayacak, sıcaklığıyla dokunduğu yerleri yakıp acıtacak, soğuduğundaysa, değdiğinde hissedilmediği için varlığı unutulup gidecek.

Onlara öğüt veremiyorum. "Yılmaz olsa ne söylerdi" diye düşünüyor, bunu bile bulamıyorum. En az onlar kadar mutsuzum. Hayatımda ilk kez birilerini aldattığımı düşünüyor, kötü ve yanlış bir şey yaptığım duygusuna kapılıyor, geceleri uyuyamıyorum.

Bir çare bulamıyorum.

35

Evliyse evli
Demet-Bora

Bora, hayatının en sıkıntılı günlerini yaşıyordu. Demet'in, mesajlarına cevap vermemesine inanamıyordu. Evliyse evliydi... Evli olması onun hatası mıydı? Evet, oldukça erken evlenmişti, ama Demet'in buna kızmaya ne hakkı vardı?

Her gece mutlaka sitenin içine girip Demet'in oturduğu apartmanın önünden geçiyor, durup onun penceresine bakıyordu. Şeytan diyordu git çal kapısını...

Demet ise, Bora'dan her mesaj gelişinde, elindeki telefonu bırakamıyor, mesajları okuyor, okuyor, ezberliyordu. Haberleri okuduğunda, onun kendisini izlediğinden emin, sadece Bora'nın gözlerinin içine bakarak konuştuğunu düşünüyordu. Bora karşısındaymış gibi o kadar heyecanlanıyordu ki, birkaç kez kekelemişti.

Bir gün Bora'dan, "Evli olmak suç mu Demet?" diye bir mesaj geldi. Demet çok tuhaf, çok zor ve mutlaka yanıtlaması gereken bir soru karşısında kalmış gibi uzun uzun düşündü. Ve doğru yanıtı buldu. Evli olmak bir suç değildi elbette, peki o zaman suç işlemeyen birisini niçin cezalandırıyordu?

Bulduğu yanıtı önemli birisine onaylatması da gerekiyordu. Annesine telefon etti ve sordu; "Anne evli olmak suç mu?"

Annesi bu sorunun altında yatan esas soruyu anlamıştı. Hızla düşündü doğru yanıtı vermek için, kelime oyunları yapmak istemiyor, "Evli olmak suç değil ama, evli olduğu halde..." diye başlayan uzun bir anne söylevi çekmek istemiyordu. Üstelik ne söylerse söylesin, dünyanın en mantıklı, en doğru cümlelerini bile kursa, şu anda kızına yardım etmesinin mümkün olamayacağının farkındaydı. Çünkü o büyük heyecanı biliyordu... Bir gün gelip soğuyacağını bilse de, o kahredici duygular yaşanırken bunu anlamanın mümkün olamayacağını anlatamazdı. Hissediyordu, kızı direnemeyecekti. "Evli olmak suç değil Demet" dedi. Tüm çabalarına karşın, sesindeki o paniği, o endişeyi yok edememişti... Biricik kızı, dünyadaki her şeyden çok sevdiği, canını, kanını, tüm mutluluğunu ona vermeye hazır olduğu insan, engelleyemeyeceği bir keder girdabına atlamak üzereydi. "Tamam anne" dedi. Elinde telefonu, bir parmağı cevap tuşunun üzerinde hiç kıpırdamadan saatlerce oturdu. Sonra o karar anı geldi, "Suç değildir" yazdı gönderdi.

Bora derin bir nefes aldı.

Bir raunt daha kazanmıştı.

36

Öpüşmek
Demet-Bora

Bora, Demet'e giderken onun en sevdiği tatlıyı aradı, hiçbir pastanede tiramisu bulamadı. Sonra onun çok seveceği bir pastayı, içi vıcık vıcık çikolata dolu, dışı da kakao tozuyla kaplı olanını aldı. Sokaktaki çiçekçiden, Demet'in en sevdiği çiçekleri, rengârenk kasımpatıların hepsini aldı. Kucağına sığmayacak kadar büyük bir buket oldu. Oyuncakçı dükkânının vitrinindeki en az kendisi kadar kocaman ayının önünde uzun uzun düşündü. Acaba bu Demet'in hoşuna gider miydi? Sonra, çiçekleri, pastayı ve kocaman ayıyı taşıyamayacağına karar vererek minicik bir tane satın aldı. Bunu, pasta kutusunun üzerine taktı.

Demet'in kapısını çaldığında, yüzü çiçeklerle kapanmıştı. Demet çiçekleri ve pastayı elinden aldı. Yemek masasının üzerine bıraktı. Karşı karşıya kaldılar, uzun uzun bakıştılar. Kızgın, kırgın, çaresiz hem de güçlü hissediyorlardı kendilerini. İkisinin de gözleri dolmuştu. Bir damla yaş süzüldü Demet'in gözlerinden. Bora Demet'e yaklaştı, gözünden akan yaşı öptü. Dudaklarını dudaklarına kondurdu. Dokunduğu bile anlaşılamayacak kadar belli belirsiz ve yavaş yavaş öpmeye başladı... Bir ılık rüzgâr gibiydi önce dudakları, utangaç, tedirgin, meraklı. Sonra tutku hissedildi, daha sonra da aşk... Dudakları içlerindeki acıyı unutturmak istercesine birbirini acıttı. Kenetlendi, ayrılmadı.

Sevgiyle, aşkla, özlemle dolu öpüşmekten daha güzel, daha keyifli, daha erotik, daha şefkatli ne olabilir? Nasıl bir şey bunun yerini doldurabilir?.. Demet'in zamanın durmasını istediği yegâne andı belki de bu an.

İkisi de, öpüşmenin böylesi bir zevk olabileceğini unutmuş gibi ve tuhaf bir şaşkınlık içindeydiler şimdi.

Bora, bugüne dek öpüştüğü hiçbir kadınla bu zevki tatmadığını hayretle düşünüyordu Demet'i öperken. Selin'le? Belki... Belki ilk yılda... O kadar çok zaman geçti ki...

Demet, bugüne dek öpüştüğü hiçbir erkekle, ki zaten son beş yıldır sadece Sinan'la öpüşmüştü, bu zevki tatmadığını hayretle düşünüyordu. Sinan'la? Belki... Belki ilk yılda... O kadar çok zaman geçti ki...

– Gel oturalım, seni o kadar özledim ki, dedi Demet. Büyük kanepeye oturdular.

– Ben de seni çok özledim, her gece gelip pencerelerine baktım biliyor musun, ne kadar güzelsin, hafta sonu seni izlemeden hiçbir yere gitmedim, gidip televizyonu kucaklamak, ekranı öpmek, seni oradan çıkartıp içime sokmak istiyordum.

Makineli tüfek gibi konuşuyordu hiç durmadan.

– Ben de spor programlarını izledim, ama sadece bir kez, maç sonrası yorum yaparken seni yakalayabildim.

İzlemişti ve Bora'yı, takımı yenildiği için sinir içinde, bağırıp çağırarak konuşurken çok sıradan hatta çirkin bulmuş, yine de ona özlemle bakarak, "Ben bu adamı niçin bu kadar çok istiyorum" diye düşünmüştü.

Öpüştüler, seviştiler, şarap içtiler, seviştiler...

İkisi de birbirlerinin hayatlarına dair sorular sormak istiyor, ama bir türlü buna cesaret edemiyorlardı. Birbirlerinin yaşamlarındaki adlarını bile bilmedikleri kişileri çok önemsiyor, ama büyü bozulacakmış gibi konuşmaya çekiniyorlardı.

Demet yatağa bir tabak dolusu makarna getirdi. Bora:

– İnanmıyorum, ne zaman yaptın bunu! diye bağırdı.

– Bir kalktım su koydum, bir kalktım makarnayı koydum, oldu işte, dedi Demet.

Bora'nın ışıklı saate gözü kaydı, 04:27 rakamlarını gördü, kıpkırmızı parlıyordu. 04:28 oldu. Hadi bakalım, karar ver diyordu sanki sayılar. Bu gece bu evden ayrılamazdı, asla ama asla bunu Demet'e yapamazdı, kendini bir yana bırak, bu kadını bir kez daha üzemezdi, bunu biliyordu. Ama eve telefon etmesi gerektiğini de biliyordu. Bir kez daha aynı şeyi Selin'e de yapamazdı. Peki nasıl yapacaktı? Ne yapacaktı? Demet'in yanından Selin'i ararsa bütün bu yaşadıklarını bir çırpıda silip atacaktı. Büyü bozulacak, kötü bir filme dönüşecekti her şey. Çiçekler, pastalar, sevişmeler, şu mumlarla aydınlatılmış odada yiyecekleri makarna... Aşkları, özlemleri... Bir telefonla hepsi yok olup gidecekti. Hayır... Demet'e bunu yapamazdı. Ama Selin'e de bunu yapamazdı.

– Bir dakika geliyorum, dedi. Ceketinin cebinden telefonunu aldı, tuvalete girdi, Selin'e, "Bu gece gelmeyeceğim, çok önemli, sonra anlatırım" mesajını çekti. Bunu nasıl akıl edememişti önceden?

Demet, tuvaletin önünden geçerken, o minicik, küçücük tuş seslerini duydu. İçi ezildi, canı sıkıldı. Üstelik kulağını kapının üzerine koyup bundan emin oldu. Koşa koşa gidip yatağa girdi. Anlamıştı tabiî Bora'nın karısına mesaj yolladığını... Yapacak bir şey yoktu... Şimdilik yoktu. Bu gecenin keyfini bozmak istemiyordu. Elbette Bora karısına mesaj yollayacaktı. Ama demek ki bu gece burada kalacaktı. Önemli olan da buydu.

Demet bir raunt kazanmıştı. ·

37

Kimi yersin?

Selin-Bora

Bora'nın yolladığı mesajı aldıktan sonra, sakince uyumaya çalıştı Selin. İçi rahatlamıştı, Bora iyiydi, sağ salim bir yerlerdeydi. Çocuğu babasız kalmayacaktı. Kendini sakin olması için telkin ediyor, iyiyim ben diyordu. Ama bir türlü uyuyamıyordu. Kendini mantık yürüterek sakinleştirmeye çalışması pek işine yaramıyordu. Ama yine de olumlu düşünmek için çırpınıyordu. Bunun aksinin pek işe yaramayacağını seziyordu.

Evet, Bora bir süredir farklı davranıyor, sıkılıyor, bunalıyordu, ama bunun nedenini pek anlayamasa da geçeceğine inanıyordu. Annesi de "Biraz sabırlı ol, üstüne gitme!" demişti. Selin, kocasına sitemler yağdıran, sıradan, dırdırcı bir kadın olmak yerine, ağırbaşlı, anlayışlı bir kadın olmak istiyordu. Zaten soğukkanlı birisiydi, bunu başarabilirdi. Arkadaşları kocalarıyla neler yaşıyorlar, yine de katlanıyorlardı, onun ise ilk kez başına böyle bir şey gelmişti, o sürgit, aptal kadınlar gibi katlanmayacaktı da, bir süre tanıması gerekiyordu. Şimdilik yalnızca, kocasının bunaldığını biliyordu, o da elbette akıllı bir kadın olarak bunun çaresini bulabilirdi.

Ne kadar aklı başında düşünmeye uğraşırsa uğraşsın, sabaha karşı uykuya dalabildi. Akılla üzüntüyü engellemenin imkânı yoktu. Birkaç saat sonra saatin sesiyle uyandığında, yüreğinde derin bir sıkıntı duydu. İçi acıyordu. Bora gelmemişti.

Kendisine her günden daha fazla özen göstererek, uzun uzun duş alıp itinayla makyaj yaptı, Murat Can'ı Esma'ya teslim etti, evden çıktı. Bankadaki minik camlı bölmesinde, tam Bora'ya telefon etmeye hazırlanıyordu ki, bir müşterisi içeri girdi.

– Sabah sabah sizi rahatsız ettim, kusura bakmayın Selin Hanım, ama dolar hesabımı gözden geçirmem gerekiyor, dedi adam. Rastlantıya bakın ki bu müşteri, Alp Bey, daha önce de telefonda Bora'yla tartışmasını duyan adamdı. Selin telefonu yerine koydu. Bir kahve söyledi müşterisine. Telefon bekleyebilirdi. İyi bir müşteriydi, tüm parasını bu şubeye yatırıyor, Selin'e çok güveniyor, her şeyini ona sorarak yapıyordu. Çok kibar bir adamdı. Akıllıydı da, bu genç yaşında koskoca bir organizasyon firması kurmuştu. Uluslararası birçok etkinliğe başarıyla imza atmışlardı.

– İyi misiniz? dedi Alp Bey.

– Kötü mü görünüyorum? dedi Selin telaşla. O kadar süslenmişti ki, kötü görünmesi imkânsız sanıyordu.

– Hayır, çok iyi görünüyorsunuz, ama biraz dalgın gibisiniz, dedi müşteri.

– Yeni bir gün başlıyor, dedi Selin de.

– Siz öğlen nerede yemek yiyorsunuz? Dışarıya çıkıyor musunuz? diye sordu Alp Bey.

– Şu köşedeki yerde, kızarmış tavuk yemeye gidiyorum genellikle, dedi Selin.

– Ben de oraya çok sık giderim, hiç karşılaşmadık, dedi adam.

Selin hissettirmeden adamı incelemeye başladı. Buraya bu kadar sık gelip onunla sohbet etmeye çalışması, acaba onu görmek istemesinden miydi? "Yoo, hayır, imkânsız" dedi kendi kendine. Adam bir gün bile iltifat etmemiş, sulu hareketler yapmamış, hiçbir şey önermemişti. Nereden çıkmıştı şimdi bu düşünceler? Bora'ya kızgınlığını, bir başka adamın kendisinden hoşlanmasıyla gidermeye çalışmayacaktı ya... "Ne olur yani, bu adamın benden hoşlanmasından hoşlansam" diye düşünürken telefon çaldı, arayan Bora'ydı. Alp gitmek üzere yerinde doğruldu.

– Selam Bora, bir dakika bekler misin, dedi. Alp'in elini sıktı, yolcu etti. İyi ve ağırbaşlı olgun kadın olmayı sürdürecekti.

– İyi misin Bora? dedi yalnızca.

– Ben iyiyim, yine bir arkadaşın derdi vardı da onunla uğraştık. Aynı adam işte o manyak, hem onun dertleriyle uğraşıyoruz hem de onun yüzünden içip sızıyoruz... Yani zararlı bir hergele o.

Kusura bakma Selin, dedi. Selin bu açıklamalara mutlu olmuştu. Bir erkeğin ne yaptığını açıklaması bir saygı göstergesiydi. Bana hesap sorma diyen erkekler bile vardı.

– Kusura bakmıyorum Bora, akşam seni bekliyorum, dedi.

Bora suçlu bir çocuk gibi eve erkenden geldi. Hâlâ üzerinde Demet'in kokusunu hissediyor, heyecanlanıyordu. Akşam üçü bir arada, sakince yemeklerini yediler. Bora, Murat Can'ı uyumaya yollamadı, saatlerce onunla oynadı, onunla konuştu, onu mıncık mıncık etti. Görülen somut bir şey gibiydi oğluna duyduğu sevgi. Murat Can babasının kollarında uyuduğu zaman bile, uzun süre yatağına götürmedi. Selin de onlara mutlulukla bakıyordu.

Böyle anlarda, anne-baba-çocuk üçü bir aradayken, tüm sorunları unutuyor, her şey düzelmiş gibi geliyordu. Bora oğlunu yatağına yatırdıktan sonra, Selin okuduğu haberden başını kaldırdı ve çok ciddi bir tonlamayla sordu:

– Bir uçak düşse ve o uçakta tüm sevdiklerin bulunsa... Günler sonra yaşamak için onlardan birini yemek zorunda kalsan, hangimizi yerdin?

– Ne? dedi Bora, hiçbir şey anlamamıştı.

– Hani Uruguaylı rugby'ciler vardı. Şili'deki maça giderken uçakları And Dağları'na düşmüştü, onlar da yetmiş iki gün boyunca, hayatta kalabilmek için arkadaşlarını yemişlerdi. Sen sevdiklerinle böyle bir şey yaşasan, kimi yerdin?

– Deli misin sen Selin, dedi Bora, sinirli bir sesle.

– Lütfen Bora, düşün ve cevap ver, kimi yerdin?

– Niçin yiyeyim canım, kimseyi yemezdim.

– Ama yemezsen öleceksin!..

Selin o denli ısrar ediyordu ki, Bora buna yanıt vermeden kurtulamayacağını anladı. Yine de mantıklı bir şeyler söylemek istiyordu.

– Yemek için birilerini öldürmem mi gerekecek?

– Canlı canlı yiyemezsin ya.

– Bunu asla yapamam... Öldüremem yani.

– Peki o zaman, var sayalım ki bir kısmı ölmüş, kimi yemek isterdin?

– Yahu delirmesene, niçin birisini yemek isteyeyim? Amacın

nedir Allah aşkına senin? Ne yapmaya çalışıyorsun?

Hem bunları söylüyor hem de elinde olmadan düşünüyordu. Annesi, babası, Demet, Selin, arkadaşları, akrabaları... Bir karar veremiyordu. Bir ara aklından şimşek gibi bir soru geçti, "Demet ve Selin'le bir uçakta olsa ve uçak düşse, hangisini yerdim?" İçi ürperdi... Demet'i özlediğini hissetti, onu çıtır çıtır yemek istiyordu, ama yatakta.

– Beni mi yerdin, anneni mi mesela?

– Aslında seni yemem daha doğru olurdu, çünkü sen annemden daha tazesin, ama onu yerdim Selin, rahatladın mı?

Buna inanamıyordu. Bütün bunlara ciddi ciddi cevap verdiğine de inanamıyordu. Selin bunu hep yapıyordu. Böyle abuk sabuk soruları bulup ısrarla cevaplarını bekliyordu. Hatta sonunda kavga çıkardığı bile oluyordu. Bora böyle sorular soran bir başka kadın daha görmemişti. Olamazdı da zaten. Bu tür sorular sorup yanıtını beklemek, sonra da kavga çıkarmak için insanın biraz manyak olması gerekiyordu. Selin niçin böyle yapıyordu? Demet'i düşündü, "O asla böyle bir saçmalık yapmaz" dedi içinden. Onun da böyle saçma sorular sorup kavga çıkaran bir kadın olabileceği aklının ucundan bile geçmiyordu.

– Senden ve Murat Can'dan başka herkesi yerim Selin, tamam mı, bitirelim mi bu konuyu burada, dedi.

– İyi, dedi Selin de. Murat Can'ı mı, beni mi yersin sorusunu sormayacak kadar akıllı buldu kendini.

– Hadi yatalım, dedi Selin.

Yatalım sözcüğünün içinde sevişelim anlamı bulunmuyordu, gerçekten yatalım demişti.

Yatıp ışığı kapattıklarında, birbirlerinin farkında olmaktan ürküyor gibiydiler. Birbirlerine değmeden, yatağın iki ucunda sırtüstü uzanmışlardı. İkisi de sevişmeyi düşünmüyordu. İkisinin de istediği huzurlu bir akşam geçirmekti. Sevişmek, hatta sadece dokunmak bile sanki akşamın dinginliğini bozacak, bir konuşmanın gündeme gelmesine neden olacaktı. Selin:

– İyi misin Bora? dedi yumuşak bir sesle.

– İyiyim canım, hadi uyu, dedi Bora da.

38

Kime sorayım?

Bora

Sanki birileri bana bir şeylerin bedelini ödetiyor. Rüyamda görsem inanmazdım bunları yaşayacağıma. Bir kitap dahi okumazken düşünmemek için, uzun uzun düşünmeye, sorgulamaya başladım her şeyi, bu yüzden geceleri uykum kaçıyor artık. Başım yastığa değmeden uyumaya başlayan ben, neredeyse sabaha kadar dönüp duruyorum yatağın içinde. Selin'i bugüne dek defalarca aldatmış olmamın bedelini yaşıyor olsaydım, bundan sadece ben sıkıntı çekerdim. Oysa Selin de bu durumdan üzüntü duyuyor hiç suçu yokken. Öteki kadınların mı ahını aldım yoksa? Onlarla bir yemek yemenin keyfi kadar kısa, önemsiz, geçici maceralar yaşamanın bedeli mi bu? Bir kere yattıktan sonra bir daha aramadığım kadınların bedduaları mı bu çektiğim sıkıntılar? Kadınlarla ilişkilerim yüzünden kendimi suçladığımı bugüne dek hiç hatırlamıyorum. O yaptıklarımın hiçbiri aldatma sayılmazdı zaten. Aldatma olsaydı Selin anlardı bunu. O kadar geçici, o kadar önemsizdiler ki, içimde hiç iz kalmadığı gibi, Selin'in bulacağı izler de bırakmıyordum etrafımda. Acaba bir iz bıraktığım kadınların kırılan onurları mıydı beni bu durumda bırakan?

Şimdiyse neredeyse suçluluk duygusundan gebereceğim. Selin'e karşı suçluyum, Demet'e karşı suçluyum...

Kuduracağım...

Gece evde duramıyorum, Demet hiç aklımdan çıkmıyor. Nasıl bir şey bu böyle? Nedir bu? Daha önce hiç buna benzer şeyler yaşamamıştım, hissetmemiştim yani. Gençlik günlerime gidip düşünüyorum, kafamı patlatırcasına tüm yaşadıklarımı bir bir hatırlıyorum, hayır Selin'le de olmamıştı bu tür manyak şeyler. Yani kafam bu kadar karışmamıştı. Ne yaptı bu kız bana, büyü falan mı? Onu görmeden yapamıyorum. Her gece evden çıkıp gidiyorum bir yerlere. Bazen geceyarısından sonra çıkıp Demet'e telefon ediyorum, sonra onu görmeye gidiyorum. Artık bahane de kalmadı, söyleyecek yalan da...

Hani annesi çocuğu bakkala yollar da, çocuk alelacele arkadaşlarıyla oyun oynayıp eve döner ya... Aynı o çocuk gibiyim. Evden gazete ya da pasta almaya diye çıkıp Demet'i görmeye gidiyorum. Selin ise hiç tepki vermiyor bütün bu olanlara, inanamıyorum buna. Onun duygularını hiç anlayamıyorum. Biliyor mu, bilmiyor mu, aldırmıyor mu, bir taktik mi uyguluyor, beni deli ediyor.

Bazen, geceyarısı çıkıp sabaha karşı döndüğüm günlerde avaz avaz bağırıp beni evden kovmasını istiyorum. Bana hakaret etmesini, vurmasını, tekmelemesini, sonra da kapıdan dışarı atmasını... Yapmıyor. "İyi misin?" diyor sadece... "İyi misin?.."

"İyi değilim, iyi değilim Selin" diyemiyorum.

Onu hayatımdaki en yakın kişi olarak gördüğüm halde, sıkıntılarımı anlatamıyorum. Oysa bunca yıldan sonra o benim iyi bir arkadaşım gibiydi. Şimdi ise arkadaşlığı bile beceremiyorum. Onun bu sakinliği ve suskunluğu beni sinir ediyor. Omuzlarından tutup sarsarak, "Bir şeyler sorsana, kızsana, bağırsana!" diye haykırmak istiyorum.

İlk kez çaresizliği hissediyorum.

Demet'le de tartışmaya başladık. Evin içindeyken o kadar mutluyuz ki... Ama artık dışarı çıkamıyoruz. Çünkü ilişkimiz bilinsin istemiyoruz. İkimiz de tanınan kişileriz... En ufak bir dedikodu çıksa, herkes zor durumda kalabilir. Adımı telefonuna bile kaydetmesini istemiyorum. Ne gerek var? Bu çok ciddi bir ipucu olabilir. Peki ama bunu söylediğimde, niye o kadar sinirlendi, yüzü canavar gibi oldu? Neredeyse adımı sildikten sonra telefonu kafama atacaktı. Bütün kadınlar bir bakıma aynı, ne anlayış, ne hoşgörü var onlarda.

Sonra Selin'le aynı yatakta yatıp yatmadığımızı sordu. Evet aynı yatakta yatıyoruz, ama bir şey yapmıyoruz... Ne var ki bunda, dürüstçe söylüyorum işte. Neredeyse ağlayacaktı. Nasıl ayırırım odaları, Esma Hanım ne der, Murat Can anlarsa... Ne de olsa kadın işte... Kıskanç ve bencil o da, çok fena. "Yapma Demet" dedim. "Beni anla ne olursun." Az kalsın ağlayacaktım. Felaket bir şey bu.

Dün yemekten döndükten sonra dedi ki: "Benim için sorun yok, görseler bile önemli değil. Ben ne yaptığını bilen bir kadınım. Cesurum. Beynimin içi açık, düşüncelerim net..." Alay eder gibiydi. "Senin düşüncelerin net değil, korkaksın" demek istiyordu besbelli. Uzatmak istemedim sustum.

Ne yapacağım ben peki?

O hep korktuğum, kaçtığım, alay ettiğim şeyse bu... Aşksa...

İki yaşında oğlu olan bir erkek, aşka tutulduysa, bu konuyu kime danışabilir? Kim ona, "Her şeyi bırak istediğin yere git, aşk için değer" diyebilir?

Bunu söyleyecek bir kişi bile çıkar mı?

Bilemiyorum. Bunu söyleyebilecek kişiyi aradığımdan da emin değilim. Üstelik sorabileceğim bir kişi bile yok. Ben varım, sadece ben, ama yetersizim. İşe yaramayan, çaresiz, boktan bir adam.

39

Bir ölü gibi

Selin

O kadar acı çekiyorum ki... İçim yanıyor... Hasta gibiyim... Hasta gibi değil, hastayım. Bora benden iyice uzaklaştı. Çok ciddi bir şeyler var ortada. Ve ben olan biteni ve olacak olanı görmezden geliyorum. İçimde bir yerlere atıyor, beklemek istiyorum. O bir yerlere attığım şeylerin, büyüyüp, büyüyüp, kocaman bir ur gibi ortaya çıkmasından çok korkuyorum.

Bu, gerçekten ben miyim yoksa oynuyor muyum? Daha bunun bile farkına varamadım. Bu denli sakin olmak için kendimi zorladığımı sanmıyorum. Kendimi isteyerek böyle başarıyla frenleyemezdim. Bu mükemmelliğe erişmiş değilim. Sanki üzerime bir ağırlık çöktü, sanki etkisi uzun süren bir uyuşturucu iğne yapıldı bana.

Bir ölü gibi bekliyorum.

Bora'nın rüyadan uyanacağını, mahmur mahmur yanıma gelip, gözlerini ovuşturarak "Ne oldu bana Selin" demesini bekliyorum. O zaman benim de kâbusum bitecek.

Hiç kimseye bir şey anlatamıyorum. Birdenbire evinden uzaklaşan bir erkeği kime anlatabilirim? Ne diyebilirim insanlara? "Kocam, oğlumuza rağmen, giderek evinden kopuyor, evin içinde yok gibi dolaşıyor... Benimle tüm ilişkisini kesti."

Utanıyorum. Bora'yı karalayacak bir durum yaratmak istemiyorum. Aslında belki de kocasını elinden kaçıran kadın diye beni suçlayacaklarından korkuyorum.

Olanları sadece Güler Abla'ya anlattım. O kadar akıllı kadın, o bile dondu kaldı. Hiçbir şey söyleyemedi. Bir ara Bora'yı savunmaya kalkıştı, sonra vazgeçti. "Bekle biraz, sabret, erkekler arada bir böyle bunalırlar" dedi. Bu muydu söylemesi gereken şeyler? Gerçi ne söyleyebilir ki? Öylesine kötü bir durum ki bu. "Onunla konuşmaya çalış." Bir de böyle söyledi Güler Abla. Doğru, konuşmalıyım, ama ne söyleyecek bana? Yüzünden düşen bin parça, belli ki o da ciddi bir sıkıntı yaşıyor. Ama nedir sıkıntısı? İstese anlatırdı zaten, sormama ne gerek var? Eve geldiğinde sadece Murat Can'la ilgileniyor. Benimle sıradan konulardan konuşuyor, ama artık hiç dokunmuyor. İçim yanıyor, içim katılıyor. Üşüyorum. Acaba başka bir kadın mı var? Bunu aklıma bile getirmek istemiyorum. Buna dayanamam. Bunun düşüncesine bile dayanamam. Onun için düşünmemeyi yeğliyorum ve bunu da başarıyorum sanki. Aslında yoruldum.

İmkânsız bir şey bu. Onu kokluyorum, giysilerini kokluyorum. Hiç ama hiç ipucu yok. O bir bunalım geçiriyor.

Belki artık ona bir doktora gitmesini söyleyebilirim.

Beni bu denli dingin kılan ümit... Yalnızca ümit...

40

Acılı aşk
Demet

Acı çekmeye başladım. "Aşk kebap gibidir, acısı bol olursa keyfi çıkar" dedi annem. Üzüntümü hafifletmek istiyor güya benimle dalga geçerek. O da tuhaf bir kadın, benden çok Sinan için üzülüyor. "O ne kadar iyi bir çocuk, bunları hak edecek ne yaptı ki" diyor. "Bu bir hak etmek hak etmemek meselesi midir anne" dedim ona. "Aşk bu hak hukuk tanır mı?"

Bora'yı televizyonda görmüş, hemen telefona sarılmış, "Gül gibi yakışıklı çocuğun üzerine bula bula bunu mu buldun" demez mi? O daha işin farkında değil, yaşadıklarımı hafife alıyor. Ya da beni sarsmak, Bora'dan vazgeçirmek, eski dingin yaşamıma geri döndürmek istiyor.

Bula bula bunu buldum evet. İki erkekle bu kadar kısa aralıklarla birlikte olunca, tenlerin birbirine temasının önemini anlayabiliyorsun. Dudaklarım Bora'nın dudaklarına değdiğinde, onun ellerini üzerimde hissettiğimde, ona dokunduğumda, birbirimizi kucakladığımızda, dokunmanın gerçek bir aşk ölçüsü olduğunu anladım. Sinan'la öpüşmelerimiz, dokunuşlarımız, sevişmelerimiz, bedenlerimizin birbirine değmesi bambaşka, Bora'yla bambaşka... Bora'yla seviştikten sonra birkaç gün etkisinden kurtulamıyorum. Sinan ise yanımdan kalktığı an biterdi her şey. Ama Bora'yla tanışmasaydım, Sinan'la ilişkimizin ne denli kötü olduğunu anlayamazdım. Dokunmanın ne denli olağanüstü bir duygu olduğunu doğru insan çıkana dek bilmenin imkânı yok.

Acı çekmeye başladım. Bora karısını çok fazla düşünüyor. Bu ilişkinin duyulmaması için elinden geleni yapıyor. Telefonumda ya birisi fark ederse diye, adının yazılı olmasını bile istemiyor. İsmini silmemi istediğinde dehşete düştüm. Karısını korumak uğruna, sevgilisinin kalbini nasıl kırabilir? Derhal adını sildim, kendimi tutmasam o telefonu kafasında parçalayacaktım, ama müthiş bir güç geldi üzerime ve sinirimi ona belli etmedim, sakin sakin oturdum karşısında. Şimdi düşündükçe sinirleniyorum, bunu bana nasıl yapar?

Artık pek dışarı da çıkamıyoruz. Ya görürlerse. Neden ben buna aldırmıyorum da o bu kadar önemsiyor? Yoksa ben onu, onun beni sevdiğinden daha fazla mı seviyorum? İşte bu asla dayanamayacağım bir şey olurdu. Bu asla katlanılamayacak bir şey. Sevdiğin kadar sevilmemek. Keşke bir ölçü aleti olsaydı sevgileri tartmak için. Acaba çiftler razı olur muydu ölçtürmeye sevgilerini? Kim bilir kaç ilişki ölçüm sonrası hemen sona ererdi. Kim dayanabilir ki sevdiğinden daha az sevildiğini bilmeye? Ama şurası da bir gerçek ki, sevgiler arasında eşitlik olamıyor. Taraflardan birisi daha çok seviyor ve ne yazık ki daha çok seven kişi daha çok üzülüyor. Ceza gibi. Birisini çok sevmenin cezası... Üzülmek!

Düşünüyorum da sorunun yanıtını bulamıyorum; madem karısına bu kadar düşkündü, neden bir başkasına âşık oldu? Madem o kadın duyacak diye bu kadar endişeleniyor demek ki onu önemsiyor, bu da sevgi demektir. Birisini severken bir başka kişiye âşık olunur mu? Acaba beni sevmiyor da yalnızca basit ve geçici bir heyecan mı duyuyor? Heyecanı aşkla mı karıştırıyoruz? Nasıl anlayacağız peki duyduğumuz şeyin gerçek aşk olup olmadığını? Yoksa aşk bu mu yalnızca? Geçici bir heyecan...

Artık hiç uyuyamıyorum. Annem ekrandaki görüntümün de eskisi gibi olmadığını söylüyor. Donukmuşum, gözlerimdeki canlılık gitmiş, oysa aşk insanı canlandırmalıymış.

Ben geceleri yatağımda tek başıma yatarken, Bora'nın karısının yanında yatması düşüncesine dayanamıyorum. Acaba şu anda ne yapıyorlar? Sevişiyorlar mı? Beni bu kadar severken, karısıyla sevişebilir mi? Kadın ona dokunuyor mudur? Kadın onu okşamaya başlasa, Bora direnebilir mi? Belki de onu üzmemek için sevişiyordur. Karısıyla sevişmeleri gözümün önüne geliyor, kare kare canlandırıyorum beynimde her şeyi. Birbirlerini okşuyorlar,

Bora onu beni öptüğü gibi öpüyor, önce küçük, yumuşak öpücükler, sonra dili ağzının içinde, şehvetle öpüyor onu. Vücudunun her yerini öpüyor, önce öpe öpe onu deli ediyor. Kadın soluk soluğa kalıyor, hadi diyor. Bora onun içine giriyor, gözlerinin içine bakıyor, yüzü değişmiş, gerilmiş, çılgın gibi olmuş, inleyerek, bağırarak boşalıyor. Hakkında hiçbir şey bilmediğim, adını bile sormadığım halde, ikisi de film gibi gözlerimin önünde. Deliriyorum. Boğulacağım, öleceğim sanıyorum. Yüreğimin acısı kapkara bir sis gibi üzerime çöküyor, ağlıyorum. Bora şu anda bir başka kadının koynunda, ona dokunuyor, kadın Bora'nın altında inliyor. Boğulacağım, öleceğim. Yataktan kalkıyorum. Bunlara nasıl, daha ne kadar dayanabilirim? Bu bir bela. İnsan belasını kendi mi çağırır? Hak eder mi belayı?

Sinirli bir kadın olmaya başladım. Sinan da beni deli ediyor. Onu üzdüğüm için üzülüyorken, şimdi sinirleniyorum. Her gün defalarca yolladığı duygusal mesajlar beni hüzünlendirmekten çok, canımı sıkıyor. Mesaj sesini duyduğum anda delirecek gibi oluyorum. Genellikle Sinan'dan geliyor, Bora'dan değil. "Bekliyorum" diyor. "Sonsuza dek sabırla bekleyeceğim..." "Aşkım dün gece seni izledim, yine harikaydın, nasıl özlüyorum bir bilsen" diyor. Hiç cevap vermiyorum. Ben senin aşkındım da neden bugüne dek bir kez bile söylemedin? Bunların hesabını sormak istemiyorum. Düşünecek çok vakti oldu, kendi anlasın. Kendi kendine desin ki; "Yıllardır bir kez bile ona harikasın, çok güzelsin, seni özledim, aşkım demedim. Bir demet papatya alıp götürmedim. Sevdiği bir yiyeceği bile almadım. Nasıl bu hatayı yaptım? Nasıl onu şefkate aç susuz bıraktım?" Böyle bir şeyler düşünsün istiyorum. Hem ona kızıyorum hem de ona acı çektirdiğim için kendimi suçlayıp duruyorum. Oysa ömrü tükenmiş bir ilişki işte. Bu kadar basit. Onu hiç özlemiyorum. Artık onu yatağımda düşünemiyorum. Ona Bora'dan söz etmeyi aklımın ucundan bile geçirmiyorum, zaten üzülen bir adamı daha fazla hırpalamanın kime ne yararı olabilir? Amerikan filmi mi çeviriyoruz ki hemen gidip, "Hayatım ben başka biriyle birlikteyim, bunu bilmeni isterim" diyeyim.

Bora ise karısıyla aynı yatakta yatıyor. Bunu sorduğumda şaşırdı, "Nasıl sorarsın böyle bir şey" der gibi aptal aptal yüzüme baktı. Neden sormayacakmışım ki? "Aynı yatakta mı yatıyorsunuz?" dedim tekrar. "Evet ama zaten ne kadar evde kalıyorum ki" dedi. Sinan'ın yolladığı mesajlara bile sinir oluyor, ama karısıyla aynı yatakta yatmasına karşı çıkmama kızıyor.

Anlayışsız ve bencil...

Erkek...

41

O dürüsttür

Sinan

Eğer bir kadın, yıllardır birlikte olduğu erkekten durup dururken uzaklaşıyorsa, ilk akla gelen şey başka bir erkek oluyor. Ama ben bunu hiç düşünmüyorum. Çünkü Demet öyle doğal bir kız ki, hayatına başka bir erkek girmişse bunu ilk bana söyler. Demet bir erkekten daha mert, bir erkekten daha dobra ve dürüsttür. Cesurdur da, eğer başka bir erkekle birlikte olsaydı bunu bana söylerdi. O yüzden biraz içim rahat, Demet düzelecek ve yine bana dönecek. Çünkü ortada hiçbir neden yok ayrılmamız için. Her şey o kadar iyi gidiyordu ki... Mükemmeldi yani. Hatta bizim kadar olağanüstü bir çift yoktur diye düşünüyordum. Belki de ilişkimiz bu kadar iyi olduğu için evlenmeyi düşünmüyorduk. Yani maddî durumum düzelince evlenecektik ama, o da bir türlü düzelmiyordu ve aramızda bu konuda da bir sorun çıkmıyordu. Acaba evliliği sürekli ertelediğim için bana küskün olabilir mi? Sanmıyorum.

Onun bir bunalım geçirdiğini düşünüyorum. Bu yüzden pek üstüne gitmek istemiyorum. Annesi de beklememi söyledi. "Kadınlar arada bir böyle ruhsal krizler yaşar" dedi. O kadına da güveniyorum. Çok modern, çok çağdaş bir insan, sanki bir yaşıtım, bir arkadaşım gibi. Eğer ciddi bir durum olsaydı söylerdi bana. Bekliyorum ben de.

Ama kendimi unutturmak, ilişkiyi iyice koparmak istemiyorum, onun için ona güzel mesajlar yolluyorum. Sabah bilgisayarını ve telefonunu açınca beni buluyor karşısında. "Aşkım seni çok özledim" yazıyorum. Onu hep izlediğimi anlatıyorum, ekranda ne kadar güzel göründüğünden söz ediyorum. Mesajlarımı, mektuplarımı okuduğunda yüzünün güldüğünü görür gibi oluyorum. O muzip gülümsemesini ta içimde hissediyorum. Eğer gerçekten bir bunalım geçiriyorsa, hep yanında olduğumu bilmesi gerekiyor. Bunun için yapabileceğim tek şey de bu işte, tatlı mesajlar. Onu uslu uslu beklemeye karar verdim. Geceleri çıkıyorum, ama hiç kimseyle bir macera yaşamak gibi niyetim yok. Üzerime atlayan o aptal kızlardan bol ne var? Canım ne zaman isterse bir tanesini götürmek çok kolay. Kolaylık ise canımı sıkıyor. Zaten bunu Demet'e yapamam.

O bir bunalım geçirirken, ben başka kadınlarla gönül eğlendiremem.

Şimdilik.

42

Böyle mi olmalıydı?

Demet-Bora

Bir aşk sözcüğüdür uçuşuyor boşlukta. Herkes aşktan söz ediyor. Sinan Demet'e âşık. Demet Bora'ya âşık. Bora Demet'e âşık. Selin Bora'ya âşık. Sinan ve Selin'e âşık olan kimse yok... Şimdilik. Matematiksel bir karışıklık var, adalet ise hiç yok bu durumda. Demet ve Bora iki kişi tarafından seviliyor, ama onların sevdiği yalnızca bir kişi, onları sevenlerin ise seveni yok...

İşin daha da tuhafı, bu karışık matematikte, iki kişi tarafından sevilenlerin de hiç sevilmeyenler kadar mutsuz olması. Hatta belki onlardan bile daha mutsuz olmaları.

Sinan ve Selin sessizce ve ümitle bekliyor. Onların bir karar vermeleri gerekmiyor. Ne istediklerini biliyorlar o yüzden öteki ikisine oranla daha sağlıklı kalabiliyorlar.

Demet ve Bora ise ne istediklerini, ne yapacaklarını tam olarak bilemediklerinden, iyice gerginleşmiş durumdalar. Demet, sorunsuz ve mutlu bir beraberlik istiyor. Aslında evlenmek ve çocuk doğurmak istediği. Ama bunu kendine bile itiraf edemediği için, huzursuz, huysuz. Evli ve çocuklu bir erkekle çok büyük olduğunu düşündüğü bir aşk yaşıyor. O evli ve çocuklu erkeğin yeniden evlenip bir çocuk yapma olasılığının pek olmadığını hissediyor. Ama ondan vazgeçemiyor. Kararsız, bu yüzden çaresiz.

Bora evli ve çocuklu bir erkek. İki yaşındaki oğlunu taparcasına seviyor. Ondan ayrılmayı aklının ucundan bile geçirmiyor, ama hiç alışık olmadığı aşk onun elini kolunu bağlıyor, deli ediyor. Demet'i istediği zaman görememesi, onunla doyasıya gezememesi, birlikte uyuyamaması onu çıldırtıyor. Ayrı kaldığı zamanlarda Selin'i değil, Demet'i düşünüp kıskanıyor.

Bora öylesine deli oluyor, Selin'in sessizliği ile Demet'in sabırsızlığı onu o kadar boğuyor ki, bir gece Selin'e, "Ben artık dayanamıyorum, bunalıyorum, delireceğim, bir süre bu evden uzaklaşmam gerek, bir süre görüşmeyelim, ilişkimizi değerlendirelim, lütfen beni anla" diyerek evden çıkıyor.

"Bitti bu iş Demet" diyor telefonda.

Demet'in yüreği ağzına geliyor, sanıyor ki ikisinin ilişkisinden "bitti" diye söz ediyor. Yaşlar gözpınarlarında hazır bekliyorlarmış gibi aniden yanaklarından aşağı dökülmeye başlıyor.

"Peki Bora" diyor ağladığını hissettirmemeye çalışarak. Bir yandan da aniden, içinde derin bir ferahlama duyuyor. "Geliyorum sana" diyor Bora. "Ne gerek var artık gelmene" diyor Demet... "Bitti bu iş dedim ya, evi terk ettim, nereye gideyim Demet!" diyor Bora da şaşkınlıkla.

Demet'in nefesi kesiliyor, ferahlama duygusu yerini yepyeni bir heyecana bırakıyor, elini kalbine koyuyor, sadece, "Gel" diyebiliyor. Telefonu kapattıktan sonra gözyaşlarını siliyor, katıla katıla gülmeye başlıyor.

Demet hızla hazırlanmaya başlıyor. Tam on dakika içinde salondaki bütün mumları yakıp ışıkları söndürüyor. Televizyonu kapatıp hafif bir Latin müziği çalmaya başlıyor, gözlerini boyuyor, üzerindeki eşofmanı çıkarıp siyah pantolon, siyah bluz giyiyor, kapı çalıyor.

Bora Demet'e sarılıyor sımsıkı, canını acıtıyor. Demet mutluluktan uçuyor, adeta küçük bir baygınlık geçiriyor. Aşkın doruk noktasında ikisi de. Arkalarında bıraktıkları sıkıntılar, sevdikleri kişilere rağmen kavuşmalarının getirdiği acılı keyif, ne olacağını bilmemenin getirdiği heyecan, savaşmanın ve savaşta bir mevzi daha kazanmanın coşkusu, gizlilik, bilinmezlik... Bütün bunlar aşklarını yüceltiyor.

Bora Demet'i sımsıkı kucaklamışken, evin içindeki o büyülü havayı soluyor, içinden, "Beni çok önemseyen birisi var, evdeki kadın için ise hiç önemli değilsin" diye geçiriyor, öyle coşkulu ki, yüreğinden taşan ilk şeyi söylüyor; "Ne olur biz hiç evlenmeyelim Demet, evlilik ilişkiyi çürütüyor" diyor.

Oysa Demet'in bundan sonra ilk yapmak istediği şey evlenmek ve bir çocuk doğurmak.

Demet'in içinde çalan trampetler, davullar, patlayan havaî fişekler birdenbire susuyor. Bora'nın kollarından kurtuluyor, arkasını dönüp mutfağa oğru giderken, "Karnın aç mı, bir şey içer misin?" diye soruyor.

Bora, Demet'in canının sıkıldığını anlamıyor. O kadar heyecanlı ki... Demet ona göre sıradışı bir kız. Öteki kadınların sinirlendiği, alındığı şeylere Demet'in kızmasının imkânı yok. Bora'ya göre Demet, onun her söylediğini anlayacak kalitede bir kadın, farklı o. Onu bunun için deliler gibi seviyor.

Oysa Demet kendini tutmasa o an, Bora'nın evinden çıktığı ilk gece olmasa bu, ona, sevdiği adama evinden kovacak kadar sinirlendi. Ancak, kendini tutuyor, bu güzel geceyi mahvetmeye hiç niyeti yok.

Bora masanın üzerindeki vazoda, rengârenk, kocaman çiçek buketini görüyor. Tam, "Ne güzel çiçekler bunlar" diyecekken vazgeçiyor. Bir başka erkeğin göndermiş olabileceğini düşünerek o herifin çiçeklerine güzel demiş olmayı istemiyor. Sormak da istemiyor kıskanç erkekler gibi, ama kendini tutamayıp hemen soruyor: "Kimden bu çiçekler?" "Sinan'dan" diyor Demet. Bora dişlerini sıkıyor, dudaklarını büzüyor... "Ne münasebetle yollamış acaba çiçekleri?" diye soruyor alaylı bir sesle, tabiî bunu sormayı hiç istemeden. Demet, sakin bir sesle, "Bugün tanışma günümüzdü de ondan yollamış" diyor.

Bora yine hiç, ama hiç söylemek istemediği bir şeyi söylüyor, "Ümit fakirin ekmeği, tabiî ümit veren olursa" diyor.

Demet elindeki viski bardağını sertçe masanın üzerine koyarken, "Ne demek istiyorsun sen Bora, ben Sinan'a ümit mi veriyorum şimdi" diyor. "Beni kuman gibi eve kapatıp kimseye görünmemeye çalışırken, sen birilerine ümit vermiyor musun?" diye soruyor.

"Vermiyorum" diyor Bora da yüksek sesle. "Bana kimse çiçek yollamıyor, yollasa da kabul etmez, geri gönderirdim."

"Ben hiç olmazsa yalnız yatıyorum geceleri, sevmediğim adamın koynuna girmiyorum" diyor Demet de.

Demet'in bu sıradan kadın kıskançlığı, yani anlayışsızlığı karşısında Bora ciddi bir düş kırıklığı içinde. "Yaşadığımız sıkıntılı günler yüzündendir" diye düşünüyor.

Demet ise, Bora'nın bu anlamsız kıskançlıklarına şaşırıyor. Onun sıradan kıskançlıkları olan bir erkek olmadığını, bu günlerde gergin olduğu için böyle davrandığını düşünüyor.

"Böyle mi olmalıydı evden çıktığım ilk gece" diyor Bora.

"Böyle mi olmalıydı" diyor Demet.

Ama böyle oluyor.

43

Suçluyum

Güler

Ben aşkı böyle bilmezdim. Ben aşkı insana mutluluk verici, havalara uçuran bir şey sanırdım hep. Aşk nedir? Kavuşamamak, ele geçirememek midir aşkı aşk yapan? Yılmaz'ın hastalığından sonra onunla konuşamadım, onunla gezemedim, onunla dans edemedim, onunla tartışamadım, onunla sevişemedim. Yani ona hiç kavuşamadım. Acaba bunun için mi benim aşkım bir ömür boyu sürdü ve sürüyor?

Demet ile Selin'in yaşadıklarına bakınca içim acıyor. Onlara ne kadar üzülüyorum bunu tarif etmem mümkün değil. Hele ikisini de tanıyıp ikisiyle de çok iyi dost olunca, ikisini de kardeşim kadar çok sevince. Ben de en az onlar kadar keyfsizim günlerdir. Bir de buna hiç istemeden yalan söylediğim eklenirse. Bildiklerini saklamak da yalan söylemek midir acaba?

Her gün onları düşünüyorum. Ne yapmalıyım, doğru olan hangisi, bunun yanıtını gerçekten bulamıyorum. Bazen dürüst olmaya ve onlara var olan durumu anlatmaya karar veriyorum. Ama sonra bunu, sırf kendime ne kadar dürüst olduğumu kanıtlamak için yapacağımı hissediyor, söylememin çok büyük bir bencillik olacağına karar veriyorum.

Başım sıkıştığında hep yaptığım gibi yine Yılmaz'ı düşünüyorum. O ne derdi acaba, bunu bulamıyorum.

Geçen gün Çetin odama gelip, "Kafeteryada yemekten bıktım, şu karşıya gidip, öğrenciler gibi hamburger yiyelim mi?" diye sorunca beynimde bir şimşek çaktı ve kişilerin kimliğini saklayarak, olayı ona anlatmaya karar verdim. "Hadi gidelim, yürü" dedim.

Çetin üzgün görünüyordu. Demek karısıyla olan sorunu henüz çözememişti. Çok meraklı gibi görünmek istemiyordum, çok ilgisiz de olmamalıydım.

– Nasıl gidiyor? dedim.

– Çok fena, onun hayatında başka bir erkek olduğunu öğrendim, dedi.

Aklım Selin ve Demet'e takılı olduğu için, doğrusu pek etkilenmemiştim bundan, ama yine de sormam ve üzülmüş gibi yapmam gerekiyordu. Bir kez sahtekârlık yapmaya başladın mı, alışıyorsun demek ki...

– Öyle mi? Nasıl öğrendin, kimmiş? diye sordum.

– Kendisi söyledi, bir şarkıcıymış.

– Ne diyorsun, hangi şarkıcıymış? diye sordum. Bu kez gerçekten ilgileniyordum, çünkü çok şaşırmıştım.

– Tanımazsın herhalde, Boğaz kıyısında bir barda gitar çalıp şarkı söylüyor. Ondan herhalde beş-on yaş küçük bir adam. Saç sakal birbirine karışmış, bluciniyle tabureye oturmuş, şarkılar söylüyor işte...

Katıla katıla gülmeye başladım. Çetin'in şık şıkırdım karısı, barda şarkı söyleyen bir adama kaçsın.

– Valla bravo, helal olsun kadına, sözleri çıktı ağzımdan, üstelik bir de gülüyordum. Çetin ise o kadar masum, o kadar ciddi, o kadar üzgün bakıyordu ki yüzüme... Birden susmam gerektiğini anladım. Adama bir hançer de ben saplamıştım.

– Niye güldüğünü anlıyorum, ben o kadar renksiz bir akademisyenim ki, renkli bir adama kaçmasını çok doğal buluyorsun. Aslında haklısın, dedi.

Artık ne gülmemi ne de evden kaçan kadın için bravo deyişimi geriye alamazdım. En doğrusu sürdürmekti:

– Renksiz değilsin, çok hoşsun, ama hayatınız renksiz olabilir, kim bilir kaç yıldır televizyonun karşısında kadının elini tutmuyordun, kim bilir kaç yıldır onu şehvetle öpmemiştin, kim bilir kaç yıldır kumsalda sevişmemiştiniz, el ele koşmamıştınız, en umulmadık kadın bile macera arar, okşanmak ister, şehvet sever biliyor musun, dedim.

– Biliyorum, daha doğrusu o kulübe gidip, adamı onun gözlerinin içine bakarak şarkı söylerken, karımı da kalabalık bir masada gülümseyerek onu dinlerken gördüğümde bütün bu dediklerini anladım, üstelik kızım da oradaydı ve adamı alkışlıyordu, dedi. Çok kırılmış görünüyordu. Hançeri saplamak sırası şimdi ondaydı. Peki sen kocanla normal bir hayat sürdürseydin, acaba bugün ne durumda olurdunuz bunu hiç düşündün mü? diye sordu. Sustum. Gerçekten hançerlenmiştim. Bu soruyu kendime sormamak için çok direnmiştim. Israrla yüzüme bakıyor, hançeri göğsümde beni oyuyordu, yanıt bekliyordu, kararlıydı.

Ona bu zevki tattırmayacaktım, evet düşündüm dersem sonu gelmeyecek bir konuşmaya gireceğimizi hissediyordum.

– Hayır bunu hiç düşünmedim, dedim sertçe. Hançeri söküp çıkardım kalbimden. Ama acısı sürüyordu. Bak Çetin, hayatta seninkinden daha büyük acılar da var, kararsızlık acıların en büyüğünü yaratıyor, inan bana senin karın karar vererek ikinize de iyilik etmiş, dedim.

Demet ile Selin'in öyküsünü anlattığımda yanıtı kesindi:

– Sakın, ama sakın söyleme bunu onlara, yaşamlarının doğal akışına ciddi bir müdahale etmiş olursun, ki bunun sorumluluğu sana daha da ağır gelir, dedi.

İçim rahatlamıştı. Ben de böyle düşünüyordum.

Ama akşam eve gittiğimde, ruhum sıkılıyordu. Bir suç işlemişim gibi kendime kızıyordum. Selin ve Demet değildi ruhumu sıkan şey. Neydi peki? Evin içinde dolaştım durdum. Kendimi çok suçlu hissediyordum.

Sonra buldum içimdeki yürek daralmasının nedenini; Yılmaz'a soracağım soruyu bir başka erkeğe sormuştum. Sanki Yılmaz'ı aldatmışım gibi geliyordu bana, kendimi bunun için suçluyordum. Üstelik kimse Yılmaz'ın vereceği yanıtı bulamazdı ki...

Bunu neden yapmıştım?

44

Kanepe lekelendi
Demet-Bora

Demet o haftayı, Bora'nın kendi evine yakın bir sokakta kiraladığı katı döşemekle geçirdi. Şarap bardaklarından koltuklara, vazodan kilimlere her şeyi aldı, yerleştirdi. Evinden getirdiği kitapları sağa sola serpiştirdi. Minik, sevimli bir ev yaratmıştı. Bora'nın yaşayacağı yerin, ruhsuz, soğuk bir erkek evi olmasını istemiyordu. Onun evinin kupkuru bir garsoniyere benzemesine dayanamazdı. Onun için salonun her köşesini sevimli aksesuarlarla doldurdu. Yorulmuştu, ama değerdi, çok güzel olmuştu, üstelik iki kilo da vermişti, mutluydu...

Telefonunun mesaj sinyali ile kapının zili aynı anda çaldı. Sinan, "Artık dayanamıyorum aşkım, seni çok özledim, ne olur iyileş, kaç yıllık aşkımızı ayaklar altına alma, ziyan etme bizi" yazıyordu.

Demet, "Vıcık vıcık bir şey, aşk mı bu" dedi içinden, hızla sil tuşuna basıp kapıyı açtı.

Uzun uzun öpüştüler kapının önünde. Bora salona girdiğinde gözlerine inanamadı, bu kadarını beklemiyordu.

– Demet neler yapmışsın böyle, sen olağanüstü bir kadınsın, dedi.

Hemen gidip kanepeye oturdu, Demet'i kollarının arasına aldı, televizyonu açtı, haberleri izlemeye koyuldu. Şaşkın görünüyor, "İnanamıyorum, inanamıyorum" diye söyleniyordu, ama sanki kırk yıldır bu evde yaşıyor gibiydi.

Bora'nın bu denli mutlu olması Demet'i neşelendirmişti. Ona böyle bir ev hazırlayabildiği için kendisiyle gurur duyuyordu.

Annesinin bütün söylediklerini kafasından silip atmıştı.

"Hizmetçi kadın sendromu" demişti annesi, "ev ona ait ama beyimiz kılını bile kıpırdatmıyor, evin her şeyiyle sen ilgilenip onu şaşırtarak memnun etmeye çalışıyorsun. Çok mu keyifli işler bunlar? Keyifliyse o nerede? Onun yorulmasını engelliyor, ama sen yoruluyorsun. Ona hizmet ederek kadınlık yaptığını sanıyorsun. Hizmetçi ruhlu, köle kadınlardan ne farkın var şimdi? Bunun değerini anlayacak mı sanıyorsun, anlamayacak ve yaptıklarını zaten senin doğal görevin sanıp bundan böyle hep bekleyecek."

Hiç aldırmamıştı Demet, öylesine iyi hissediyordu ki kendini, "Git bir feminist dernekte çalış, bu fikirlerin ziyan olmasın, aşkım için her şeyi yaparım ben" demişti. "Onun evindeki kadın da aşkı için her şeyi yapıyordu herhalde" demişti annesi de. Kızını üzmek istememesine karşın kendini tutamayıp sürdürmüştü konuşmasını, "Evli ve çocuklu erkekle aşk olmaz. Ancak mazoşist bir kadın evli bir erkeğe âşık olur, aptalsın sen."

Kapıyı vurup çıkmıştı Demet evden.

Bora Demet'i okşuyordu sevgiyle... Üzerinde ne varsa tek tek çıkartıyor, öpüyordu her tarafını.

– Perde yok, dedi Demet... Yerinden fırlayıp ışıkları kapattı Bora. Öptü, öptü, öptü Demet'i. Televizyon ışığında, her gün birbirlerini gördükleri halde özlemle seviştiler. Demet iki kilo verdiğine memnun, Bora'nın üzerinde ilk kez göbeğini düşünmeden rahatça kıpırdıyordu. İnip çıkıyordu ağır ağır, keyifle.

– Ah, işte buna dayanamıyorum, dedi Bora, haykırdı. Çok fazla bağırmıştı. Sinan'ın sesi bile çıkmazdı. Demet elini Bora'nın ağzına kapattı. Üzerinden inmeden:

– Dur daha ilk gün komşulara rezil olmayalım, diye güldü.

– Harikaydı, peki ya sen, diye sordu Bora.

– Hayır, ama önemi yok, çok güzeldi, dedi Demet.

O ateşli, tutkulu erkek bir anda gitmiş, televizyonun sesini açarak kanal arayan, herhangi bir erkeğe dönüşmüştü.

"Yapacak bir şey yok, onlarınki bitti mi, her şey bitiyor. Nasıl bir saniye içinde bambaşka bir erkeğe dönüşebiliyorlar? Neden sevişirken olduklarının yüzde biri kadar tutkulu olamıyorlar normal yaşama döndüklerinde? Neden sürdüremiyorlar o coşkuyu boşaldıktan sonra? Haksızlık bu" diye düşünüyordu Demet. Neyse, Bora en azından seviştikten hemen sonra kalkıp duşa koşmuyordu sanki kirlenmiş gibi.

Haberleri izlemeye başladılar, Bora ekrandaki politikacıya atıp tutmaya başladı, Demet Bora'ya sokuldu, sarıldı, sarmaş dolaş ve çırılçıplak, ciddiyetle izlemeyi sürdürdüler televizyonu.

– Yepyeni kanepemiz ilk lekesini aldı, dedi Demet. Bir yandan külotuyla kanepeyi silmeye çalışıyordu.

– Boş ver, dedi Bora.

Bir süre sonra Bora kalktı, duş aldı, giyindi. Demet'in karşısına dikildi ve:

– Benim eve uğramam gerek, dedi.

Hançer... saplandı Demet'e...

– Neden?

– Çünkü Murat Can'ı görmem gerekiyor, bugün onu hiç görmedim.

Murat Can... İki yaşındaki oğlan çocuk... Ne diyebilir Demet? Ne diyebilir? Gitme... bu gece beni böyle bırakma!.. Her şey çok güzeldi, bozma... Oğlun benden daha mı önemli? Peki o kadını da göreceksin, ne yapacaksın onunla? Onu görmeni istemiyorum, o eve gitmene dayanamıyorum artık, kıskanıyorum, deliriyorum...

Hiçbir şey söylemedi öylece baktı Bora'nın yüzüne.

– Dönecek misin peki? diyebildi yalnızca.

– Elbette döneceğim saçmalama...

Kalkmadı kanepeden Demet, Bora gitti.

Birkaç saat sonra döndüğünde Demet de gitmişti... kendi evine.

Ertesi gün o geceden annesine hiç söz etmedi, yalnızca Güler'e anlattı her şeyi.

Güler ona, "peki o kadının yaşadıklarını hiç düşünüyor musun?" diye sordu.

Hayır, hiç düşünmüyordu.

45

Şaşkınlıktan bitap düştü

Selin-Bora

Bir pazar sabahı Bora, Murat Can'ı almaya geldiğinde Selin'i hüngür hüngür ağlarken buldu. Birden çok korktu, endişeye kapıldı, Murat Can'a bir şey oldu sandı, heyecanla Selin'in omuzlarından tutarak:

– Ne oldu, bir şey mi var? diye sordu.

Selin, kocaman kırmızı ıslak gözleriyle şaşkın, kızgın, ne diyeceğini bilemeden baktı Bora'ya uzun uzun:

– Sen aklını mı yitirdin Bora, ağlamam seni neden bu kadar hayrete düşürüyor, ortada üzülecek bir şey yok mu sence? Her şey çok doğal mı gidiyor? İşler yolunda mı? Ne yaptığını sanıyorsun sen? Daha ne kadar sürecek bu bunalımın? Benim ağlamam çok mu şaşırtıcı sence, kocası tarafından bunalıyorum gerekçesiyle terk edilmiş çocuklu ve hamile bir kadının ağlaması çok mu tuhaf, dedi.

Bora duyduğuna inanamıyordu, yumruk yemiş gibi sersemlemişti. "Yanlış duydum herhalde" diyordu.

– Hamile mi? diye sayıkladı adeta.

– Evet gebeyim, gebe, gebe, dedi Selin, ağlıyordu sürekli.

Şaşkınlık insanı bitap düşürür mü? Bora çöktü koltuğa. İçinden hesap yapıyordu, nasıl gebe kalabilirdi, uzun süredir onunla sevişmiyordu, ne kadar süredir, bir ay, iki ay... Evet, olabilirdi.

– Doğurmayacaksın değil mi? sözleri döküldü ağzından hiç istemediği halde.

Selin kocasına nefretle baktı, ilk kez o an Bora'ya karşı nefrete benzer duygular besliyordu:

– Doğuracağım, dedi, sesi de nefretle çıkmıştı.

Bora sinirlenmemeye, Selin'i daha fazla üzmemeye çabalıyordu, gülmeye çalıştı:

– Şaka ediyorsun değil mi? dedi. Bu da asla söylememesi gereken bir sözdü, ama kendini tutamıyordu. Kendini tutabildiği şey, sağı solu dağıtıp duvarları tekmeleme isteğiydi.

– Bunun şakası olmaz, bunun şakası olmaz, diye ayaklarını yere vurdu Selin. Murat Can duymasın diye bağıramıyor, gırtlağından çıkan fısıltı onu iyice sinirlendiriyor, gözlerinden ateşler fışkırıyordu. Bora Selin'in ciddi olduğunu anlamış, önüne geçemediği bir kızgınlık kaplamıştı içini. O da kısmaya çalıştığı sesiyle, ama yüzü en bağıran bir erkekten daha öfkeli:

– Bunu yapamazsın, defalarca konuştuk, biliyorsun, ben çocuk istemiyorum, dedi.

– Hayatımıza sen yön veremezsin, bu kararı da sen veremezsin, çocuklar senin değil benim zaten, akşamdan akşama çocuğu görüp biraz mıncıklamak babalık değil. Murat Can benim, eğer eve dönmemekte ısrar edeceksen, onu sana bir daha göstermeyeceğim, mahkeme kararıyla gelir alırsın, bu doğacak olan da benim, onu da görmeyeceksin.

Bora karmakarışıktı. Selin'i üzmek istemiyordu gerçekten, ama çocukları ona karşı kullanması haksızlıktı, dayanılır gibi değildi. Selin bunu yapar mıydı? Yerinden kalktı, sakin olmaya çalışıyordu, Selin'in yanına gidip şefkatle omuzlarından tuttu, yumuşak bir sesle:

– Bak Selin, bir tane çok tatlı çocuğumuz var. O bir şey hissetmemeli, o mutlu olmalı, evliliğimiz bir sarsıntı geçiriyor, şimdilik ikinci bir çocuk doğurmak doğru mu sence? Bu ona haksızlık değil mi?

Bora durdu. Daha söyleyeceği şeyler vardı, ama Selin ağlamasını kesmiş, gözlerini kocaman açmış, tuhaf bir ifadeyle hiç kıpırdamadan, öylece bakıyordu. Bora'nın gözlerine bakmıyordu, ama Bora'ya bakıyordu. Dehşete düşmüş bir hali vardı. Kaskatı kesilmiş, yüzü bembeyaz olmuştu, bayılacak gibiydi. Omuzlarından sarstı onu Bora:

– Ne oluyor, kendine gel, dedi. Bir robot gibi konuştu Selin:

– Yakanda fondöten var.

Ne fondoteni? Hızla düşündü Bora; dün akşam Demet'in haber günüydü, bir an önce dönmek için makyajını silmeden gelmişti... Kucaklaşmış, öpüşmüşlerdi, demek aynı gömleği giymişti... Evet aynı gömleği giymişti. Eskiden hiç yapmadığı şeyi yapıyordu bugünlerde, aynı gömleği iki gün üst üste giymeye başlamıştı yıkamaya üşendiğinden, ütü çıkmasın diye.

Hızla gitti, holdeki aynaya baktı, evet ufacık bir iz vardı yakasının ucunda.

Selin sapsarı bir yüzle, ayaklarını toplamış, kollarıyla kendini sarmış oturuyor, hiçbir şey söylemiyordu. Bora üzülmüştü, ne diyeceğini bilemiyordu, başka bir kadının varlığını Selin'in bilmesini asla istemiyordu.

– Ne olmuş bu fondötense, bir televizyon çekimi vardı, oradan kalmıştır, nedir bu halin böyle facia olmuş gibi, dedi.

– Ne kadar aptalım, bu hiç aklıma gelmemişti... Ne kadar aptalım...

– Saçmalama Selin, olayı büyütme, çekim için sürdüler bana bunu...

Nefretle baktı Selin Bora'nın yakasına doğru...

– İşte senin çevren bu... Bir karış makyajla dolaşıp, evli erkeklerin yakalarına fondöten sürüp karılarına yollayan kadınlar. Evet, anlat hadi... Bir kez olsun mert ol, dürüst ol...

– Anlatacak bir şey yok. Uzatma. Saçma sapan kıskançlıklardan daha önemli şeyler var konuşacağımız. Yeter Selin, dedi Bora.

Selin ağlıyordu; kocasına baktı, gelip ona sarılmasını, saçını okşamasını, inanacağı, ikna olacağı bir şeyler söylemesini bekliyordu, bir yabancı gibi uzakta durmasını, kıskançlıkla suçlamasını, sesini yükseltmesini değil.

– Gerçek değil bütün bunlar, hepsi şaka değil mi? Bora dedi. Hiç durmadan ağlıyordu artık... Kanepenin üzerinde iyice büzülmüştü, küçük bir kız gibiydi... İçim üşüyor, dedi sessizce.

Bora Selin'e bakıyordu. Hastasını tedavi edemeyen çaresiz bir doktor gibiydi. Yıllardır sevdiği insan oracıkta, yanı başında onun yüzünden acı çekiyor, o ise hiçbir şey yapamıyordu... Hiçbir şey elinden gelmiyordu. Bir an önce bu ortamdan kurtulmak istiyordu; ama oturduğu yere yapışmış gibiydi. Selin'i kollarının arasına alması gerektiğini düşünüyor, kıpırdayamıyordu. Çaresizdi... Çaresiz.

Murat Can bağırdı... Bora yerinden fırladı. Kurtulmuştu.

46

Onursuz kadın

Demet

Canım çok sıkılıyor... Sıkılmanın ötesinde bir şeyler var içimde. Bora'yı çok sevmeme karşın, onun yanında bile eskisi gibi mutlu olamıyorum. Bende bir değişiklik yok, ama o değişti gibi geliyor bana. Aslında değişip değişmediğini de tam olarak bilemiyorum. Evet, artık o poğaçalardan getirmiyor sabahları ama, öyle bir koşturmaca içindeki hayatı, bu ayrıntıları düşünecek hali kalmıyor. İşi, yazıları, iş yolculukları, yani maçlar, evi, çocuğu, ben... Oldukça huysuz biri oldu çıktı. Sık sık eski evine gidiyor. Çünkü oğlunu görmesi gerekiyor. Öyle tatlı bir çocuk ki, geçen gün tanıştım onunla. Bora, ille de Murat Can'ı tanımamı istedi. Alışveriş merkezinde randevulaştık, bir rastlantı gibi yaptık buluşmamızı. Sanki iki yaşındaki çocuk anlayacakmış gibi, Bora böyle bir oyun düzenledi. Birlikte oturduk bir şeyler yedik. Nasıl insan canlısı bir çocuk, koca gözlü, uzun kirpikli, sevecen ve sıcacık. Kucağıma oturdu hemen, ben de ona yemek yedirdim. Çok mutlu bir aile gibiydi görüntümüz. İçim bir hoş oldu, ne yapacağımı, ne söyleyeceğimi bilemedim.

Çocuk kucağımdayken, Bora'nın bize bir bakışı vardı ki anlatılamaz... "Al bu çocuk senin olsun Demet, bundan sonra üçünüz bir arada yaşayacaksınız deseler ne yapardın, ne büyük bir mutluluk olurdu bu değil mi?" der gibiydi. Böyle bir şeyin asla olamayacağını bilmenin derin hüznü vardı gözlerinde. Benimle evli olsaydı keşke, üçümüz bir aile olsaydık... Bakıştık bir süre sessizce, bu duygular içinde hem kederli hem mutlu...

Şimdi o kadın gelse buraya, bizi görse... Adını bile bilmediğim, ama nefret ettiğim o kadın. Eminim Bora beni "Bir arkadaş" diye tanıtırdı. Kim bilir neden, belki de boşanırken zorluk çekmesin, aleyhine kullanılmasın diye, hayatında bir başkasının var olduğunu karısının öğrenmesinden ödü kopuyor. O kadın beni bilmiyor. Aslında o kadın benden daha rahat durumda. Çünkü o sadece üzülüyor, kıskanmıyor. Ama ben biliyorum ikinci kadının varlığını, hem üzülüyorum hem kıskanıyorum. Acılarım ikiye katlanıyor. O kadın hakkında çalışan biri olduğundan başka hiçbir şey bilmiyorum. Adını bile saklıyor benden. Aslında Bora onurlu bir şey yapıyor, hayatındaki kadınlara birbirlerinden söz etmiyor, laf taşımıyor. Ama acaba üzüntülerimizden ne kadar haberi var? Benim neler çektiğimi ne kadar anlıyor?

Bora o kadınla yaşadığı eve gittiğinde hayatım kararıyor. O orada kaldığı sürece ne yaptıklarını düşünüyorum sürekli, kıskançlıktan ölüyorum, onu arayamıyorum, evden çıkıp da telefon edene kadar gözüm hiçbir şey görmüyor...

Bora bu durumu hiç anlayamıyor. Bir pazar günü çok uzun süre o evde kaldığında, ona küsüp, "Git devam et o evde kalmaya" dediğimde, ilk kez yüksek sesle konuştu benimle. "Mecburum buna, benim bir çocuğum var, o kadın da düşmanım değil, bu kıskançlıkların çok kötü" dedi.

Çok anlayışsız davranıyor, kıskançlık yapıyormuşum, sıradan kadınlar gibiymişim, buna hakkım yokmuş, benden beklemezmiş. Benden beklemediği şey, öteki kadını kıskanmam... Ben kadın değil miyim? Ben sevdiğim adam yıllardır evli olduğu kadının evine gittiğinde üzülmemeli miyim? Bunu bir erkek nasıl anlamaz ki? Aklıma bile getirmek istemiyorum bunu, umarım böyle bir şey yaşamam ama, eğer gerekirse bayram tatiline bile birlikte çıkabilirlermiş, çocuk için...

Ben bayramda evde oturacağım, o ise çocuğunun mutluluğu için karısıyla tatile çıkacak... Bunun çok doğal bir şey olduğuna kendimi inandırmaya çalışıyorum. Söz konusu çocuk olunca... Doğal aslında. "Aynı odada mı yatacaksınız, aynı yatakta mı?" diye soramıyorum. İğrenç bir kadın olurum o zaman. Anlayışsız, dırdırcı, sevimsiz bir kadın...

Güler'e sordum, hiçbir şey diyemedi o bile... Üzüldü, başını salladı uzun uzun. "Evli bir erkekle olur böyle şeyler, alışacaksın" dedi. Sonra, "Ya da alışamayacaksın ve hep üzüleceksin" diye ekledi. Annem ise belli etmek istemiyor, ama daha tanımadan Bora'dan nefret ettiğini hissediyorum. "Demet, bu adam boşansa bile o ikinci ev hep hayatında olacak. Oraya da gidecek, eski karısıyla tatile de. Senin üzülmeni ise asla anlamayacak. O kadının üzülmesini de anlamayacak. Belki bir süre sonra başka bir kadın olacak, bu kez ikinizin üzülmesini de hiç anlamayacak ve hayatına müdahale eden kadınlar olarak görecek sizi" dedi. Niçin yaşlanmış kadınlar aşktan hoşlanmıyor, onu yok sayıyorlar? Oysa annem de aşkı tanıyan birisi... Sanki hiç âşık olmamış gibi davranıyor, aşkı aşağılıyor. Ben bu kadar sıkıntı içindeyken, karşıma bir üçüncü kadını getirmesinin ne anlamı var? Beni üzmekten, kafamı karıştırmaktan başka ne işe yarıyor bu söyledikleri?

"Anne" dedim, "biz birbirimize gerçekten âşığız." "Evet" dedi, "sen Sinan'a da âşıktın böyle." O dokunma duygusunu, tenler birbirine değdiğinde aldığın zevki, tenler arasındaki farklılığı nasıl anlayamıyor?

Bora'nın üzüntüsü beni kahrediyor. Bu nasıl bir kadın böyle, onursuz, yapışmış adamın yakasına. Nasıl anlayamıyor kocasının hayatında başka bir kadın olduğunu? Bunu hissetmeyen kadın olur mu? Mutlaka biliyordur, ama kocasından boşanmıyor. Evde oturmuş geri gelmesini bekliyor. Gururusuz, onursuz, asalak, yapışkan kadın. Şeytan diyor ki bul o kadını ve anlat her şeyi. Ağlayıp zırlıyordur, çocuğunu kullanıyordur mutlaka Bora'yı geri almak için. Ben kocamı başka kadına yâr etmem hesabı... Ben asla böyle bir şey yapamam, asla. Bu tür kadınların var olduğunu bildikçe de midem bulanıyor. Sanki yeryüzünde başka erkek kalmamış gibi adamın yakasına yapışıyorlar. Çocukları bile bu yüzden doğuruyorlar. Adamı eve bağlamak için. Sanki bağlayabiliyorlar...

Sinan'dan en son gelen mektubu Güler'e okuttum. "Ne olur böyle şeyler yazmasa, ne olur peşimi bir süre bıraksa, bu yazdıkları midemi bulandırıyor, ondan gelen her mesajı, her mektubu gördüğümde yüzümü buruşturuyorum yine mi diye. İçimde kalan tüm güzel duygularım kızgınlıkla yok olup gidiyor. Beni bıktırıyor, neden böyle yapıyor?" dedim. Mektubu yüksek sesle okudu. "... bir başkası için bunu yaptığını sanmıyorum... bir başkasının sana dokunmasına dayanamam... ben bile, erkek olduğum halde bir başkasına dokunamıyorum, dokunmayacağım da... senin o taze çiçek kokunu çok özledim... dön bana aşkım... hasretin beni delirtiyor..."

"Herkesin sevgisini ifade etme biçimi farklıdır. Neden konuşmuyorsun onunla" dedi Güler.

Bora'nın Murat Can'a gittiği bir akşam, buluştum Sinan'la. Hiçbir şey olmamış gibi havadan sudan konuştuk. Üzerinde benim aldığım gömlek, benim aldığım kazak, benim aldığım saat... Çok yakışıklıydı, Bora'yla kıyaslanamayacak kadar yakışıklı. Hiç sormadı bile ne yaptığımı, ne düşündüğümü, ne yaşadığımı... Sanki o mektupları yazan adam değildi. Ruhsuz ruhsuz konuştu... Eve geldiğimizde otomobili park etti, kilitledi, benimle birlikte apartmana yürümeye başladı. Kapının önünde elimi uzatıp, "İyi geceler" dedim. "Yukarı gelmeyecek miyim?" diye sordu. "Elbette gelmeyeceksin, biz ayrıldık Sinan!" dedim. "Ayrıldık mı?" dedi. İnanamıyordum. "Ayrıldık mı?" diye soruyordu hâlâ. Elimi tuttu, beni kendine çekti, öpmeye başladı hoyratça. İttim onu, "Bırak!" dedim. Kapıyı açıp hızla yüzüne kapattım. Camın arkasından bana bakıyordu hayretle. Hiçbir şey anlamıyordu. Duygusuz ve anlayışsız... Asansörü beklemeden merdivenleri çıkmaya başladım. Tükürük içindeki ağzımı siliyordum elimin tersiyle.

Keşke Güler'i dinlemeseydim. Aslında, Bora'nın karısıyla yatma olasılığı karşısında, onunla eşit olmak ve yaptıklarını anlayışla karşılayabilmek için, bu gece Sinan'la sevişmeyi bile aklımdan geçirmiştim... Ama yalnızca aklımdan geçirmiştim. Yapamazdım. Ona duyduğum şey kızgınlık değildi. Onu düşününce canım sıkılıyordu. Nedenini bir türlü bulamamıştım, ama ona sinir oluyordum. İnsan sinirlendiği bir erkekle değil sevişmek, ona dokunmak bile istemiyor. Hele duygularını anlamayan, hiçbir şey olmamış gibi davranan bir erkekse bu... felaket.

Bir de tabiî, dokunmasından bu denli hoşnut olduğun birisi varken, nasıl bir başkasına dokunabilir insan?

47

Küçük bir yalan

Selin

Daha iyiyim şimdi, sakinleştim. Kim bilir belki de o gördüğüm, fondöten değildi ya da Bora'nın TV çekimi sırasında oluşmuş bir lekeydi gerçekten... Sıkılmış, bunalmış, çocuğuna rağmen, evden çekip gitmiş bir adam, hayatında bir kadın olsa bunu neden söylemesin, neden boşanmak istemesin? Onun yakasına yapışacak değilim ki. Bunu o da çok iyi biliyor. Benden istediği yalnızca ona anlayış göstermem, biraz süre tanımam. Benim yaptığım da bu. Bora sık sık eve geliyor belli ki onun da canı çok sıkkın ve ne yapacağını bilmiyor. Babam, "Genç yaşta yapılmış evliliklerde olur böyle şeyler, geçer" diyor, ama annemle konuştuğum zaman patlayacak gibi oluyorum. Eline geçirse Bora'yı öldürecek. Gebeliğimi ona söylemek zorunda kaldım. Bora'nın buna rağmen eve dönmeyişine delirdi... Delirdi. Söylemediği söz kalmadı, "İğrenç, psikopat, bencil, nankör, hayvan!" diye bağırdı. Ama bu nankör hayvanın evine dönüp kızıyla birlikte olmasını istiyor.

Çocuğu doğurmamaya karar verdim. Bora'nın dediği gibi, bu kadar sorunlu günlerde buna gerek yok... Oysa bir çocuk daha istiyordum, Bora yüzünden olamayacak bu isteğim şimdilik. Bilemiyorum babanın istememesine rağmen bir çocuk doğurmalı mı? Altından kalkabilir miyim bunun? Annem dedi ki: "Kesinlikle bunu aldıracağını kocana söyleme, o seni bir süre gebe sansın ve bunun için üzülsün, vicdansız adamın vicdanı rahatsız olsun." Eğer adamın gerçekten vicdanı yoksa, olmayan vicdan nasıl rahatsız olur bilemem, ama söylemeyeceğim ben de. Bora zaten üzgün evet, ama sadece kendisi için üzülüyor o, bir de benim için üzülsün istiyorum ben de. Annemin dediği gibi bu iyi fırsat. Bora biraz da beni düşünüp benim için sıkıntı çekmeli, beni önemsemeli. Ona çocuğu doğuracağımı söyledim. Üzülmedi, sinirlendi. Eğer gerçekten bunaldığı için gittiyse, bir an gelecek bu bunalımdan kurtulup eve dönecekse, yeni bir bebek onun iyileşmesini hızlandırabilir. Sonra... Sonrası için de bir yalan bulunur elbet. Onun bana çektirdiklerinin yanında bu kadarcık bir yalan vicdanımı sızlatmıyor doğrusu.

Bir başka kadın varsa... Bu aklıma geldiğinde, hızla kovuyorum beynimden. Eğer başka bir kadın varsa, bu geçici bir heves değil, ciddi bir ilişki demektir. Her şey çok güzel giderken, insan ancak tutulduğu birisi için evinden çıkıp gidebilir. İnanmıyorum buna, inanmak istemiyorum. Güler Abla, "Olabilir" dedi geçen gün. "Bu düşünce kafanın bir yerlerinde olmalı, ki eğer bir başka kadın varsa, öğrendiğinde şok geçirmemelisin."

Eğer doğruysa, nasıl bir kadın olabilir bu? O gittiği barlarda bulunan bol makyajlı, sarışın, iğrenç bir kadın olabilir. Ama Bora bu kadar iğrenç bir kadına niçin âşık olsun? Ben de biliyorum, genç yaşta yapılmış uzun süreli evliliklerde erkekler önlerine ilk çıkan kadına kapılabiliyorlar. Gençliklerinde yaşayamadıkları çapkınlıklara dalabiliyorlar. Ama evli ve çocuklu bir adamla birlikte olan bir kadından kime ne hayır gelir? Hani bilmeden, bir gecelik bir ilişki olsa neyse, bile bile böyle bir şey nasıl yapılır? Kendine bir kapı arayan, tanınmış bir erkekle birlikte olup hava atacak bir pislik.

Sadece seks için bile erkekler bir kadına kapılıyorlarmış. Yatakta iyi olan bir kadının, elinde tutamayacağı erkek yokmuş. Acaba ben yatakta iyi miyim? Kadının yatakta iyi olması için ne yapması gerekir? Odun gibi yatmaması gerekir, sevişmeyi başlatması, yönlendirmesi... Böyle şeyler söylüyorlar. Ama bazı kadınlardan da "Yatakta süper" diye söz ediyorlar. Nedir o süperlik acaba? Ne yaparsan süper? Bunu öğrenebileceğim hiç kimse yok.

Aslında böyle bir şey olamaz. Bora yatakta şahane diye pis bir orospuyla yatmaz. Yatsa bile onun için evi terk etmez. Bu olsa olsa, o barlarda erkek avına çıkmış, zavallı, pespaye, eli yüzü düzgün küçük bir kızdır. Bora'ya iltifatlar edip onu tavlamıştır. İğrenç...

Bunlar aklıma geldiğinde çıldıracak gibi oluyorum. Kıskançlık hastalığına tutulmak istemiyorum. Çaresi yok çünkü, yüreğini çatırdatıyor insanın.

Benim kıskançlığımı aşağılıyor, bunu bana yakıştırmıyor Bora, ama o kıskanabilir, çünkü ben bir kadınım. Geçen akşam uğradığında dışarı çıkıyordum. Bunu aylardır ilk kez yapacaktım, bir müşterim, Alp Bey, şirketinin düzenlediği bir yemekli panele beni de davet etti. Bankacılık üzerine bir paneldi ve işime yarayacağını düşünmüştü. "Gelip sizi alayım" dedi ama, ben kabul etmedim. Birisi görse ne der diye düşündüm.

"Nereye gidiyorsun?" dedi Bora... "Panele" dedim. "Ne paneli, kim çağırdı, bu saatte panel mi olurmuş" bir sürü şey söyledi. "Bir müşterim organize ediyor, bankacılık üzerine bir panel, gitmem iyi olacak" dedim. "Kim bu müşteri?" dedi. "Alp Bey" dedim. "Alp Bey de kim?" dedi. "Müşterim" dedim. Başladı avaz avaz bağırmaya; "Müşteri de kim oluyor, hiç utanmadan evli bir kadını panele çağırıyor, ondan sonra evine kahve içmeye de çağırır, niçin hayır demedin, gitmeyeceksin, evli ve çocuklu bir kadın, akşam dışarı tek başına çıkmaz, hele bir erkeğin davetine hiç gitmez, orada gazeteciler de vardır, beni tanıyan biri görürse ne derim ben onlara, gitmeyeceksin Selin..."

Bu kadarı da fazla değil mi artık? "Sen de gel birlikte gidelim o zaman" dedim. Saatine baktı. "Benim ne işim var bankacılık panelinde, sen de otur çocuğunla evde" dedi. "Sen de otur çocuğunla evde" dedim ben de. "'Bunalıyorum, sıkılıyorum, kocaman bir denizin ortasında tek başıma kalmak istiyorum' diye kendini acındırıp evini terk etmiş bir adamsın, utanmıyor musun benim ne yapacağıma karar vermeye, beni engellemeye, kıskanmaya..." demedim. Kalbim pır pır atıyordu nedense. Ne yapacağımı bilemiyordum. Bir yandan gitmek istiyor, bir yandan da Bora'ya hak veriyordum. Gerçekten ya onun arkadaşlarından biri görürse. Bunları düşündüğüm için kendimden utanıyordum. O gelmeseydi gitmek kolay olacaktı, ama o evdeyken çekip gitmek... Git Selin" diyordum kendi kendime. "Git, bu senin hayatın, onun sana yaptıklarından sonra, böyle basit kıskançlıklarla seni engellemeye hiç hakkı yok. Git. Gitmezsen hayatının iplerini onun eline vermiş olacaksın, hep kendinden utanacaksın."

Bir ara, "Acaba Alp Bey'den hoşlanıyor muyum?" diye bile düşündüm. Bu hiç hoşuma gitmedi. O çok genç, çok kibar bir müşteri, hepsi bu. Eğer gitmezsem, suçluluk duyacaktım. Gidersem yine suçluluk duyacaktım. Her iki durumda da suçlu ben olacaktım, birisi kendime karşı suçlu, öteki Bora'ya karşı suçlu. Asıl mutsuzluk, kendime karşı duyacağım suçluluk duygusu değil mi? Niçin böylesine kararsızım?

Off... O ikircikli anlar. Sadece yirmi dakika kaldı panele. Yollar açıksa yetişebilirim, otelin park yeri sorunu da yok. Gideyim mi, gitmeyeyim mi? Bora, Murat Can'ın odasına gitti. Bir robot gibi şalımı aldım, kapıyı vurup çıktım. Tir tir titriyordum.

Alp Bey beni kapıda karşıladı. "Sizi bekliyordum, neyse yetiştiniz" dedi.

48

Mutsuzluk bu olsa gerek

Bora

Eskiden başım yastığa değmeden uyumaya başlardım. Selin her zaman şaşmıştır buna. Artık uyuyamıyorum. Hayatımda ilk kez uyku ilacı kullanmaya başladım. Hayatımda ilk kez baş ağrısını da tanımaya başladım. Boynumdan yukarıya doğru bir sancı saplanıyor, dayanılır gibi değil. Boyun kaslarım ağrımaya başlıyor, ağrı geliyorum diyor ve hızla beynime doğru yol alıyor. Gözlerim şişiyor, midem bulanıyor. O an sanki hayatım duruyor. En ufak bir ses, bir ışık beni deli ediyor. "Aynı şeyler bana da oluyor, sinirsel" dedi Demet. Niçin sinirsel olsun? Ama ya bir ur varsa, hemen doktora gittim. "Strese bağlı baş ağrıları" dedi. İki ilaç verdi, "Bunları alın, geçmezse başka tetkikler yaptırırız" dedi. Biri çok sert bir ağrı kesici, öteki deli ilacı... Evet resmen deli ilacı. Nerelerde kullanıldığını okuduğumda inanamadım. Bildiğimiz tüm ruh hastalıklarında kullanılan bir ilaç. Kutu bitene kadar alacakmışım, birdenbire kesmeyecekmişim, bırakacaksam bile bunu yavaş yavaş yapacakmışım.

Deliriyorum demek ki. Delirebilirim elbette.

Demet geçen akşam Sinan'la buluştu. "Neden bunu yapıyorsun?" dediğimde, "O da bir insan ve acı çekiyor, iki uygar birey olarak konuşmamız gerekir" dedi. "Bunun uygarlıkla ne ilgisi var, söylemedin mi beraber olduğumuzu?" diye sordum. Öyle bir baktı ki yüzüme. "Bunları söyleyecek son insansın bunu nasıl anlamıyorsun" dedi. Bunda anlamayacak ne var? Bir başkasıyla birlikteyken, bir kadının eski sevgilisiyle buluşmasında nasıl bir uygarlık, nasıl bir mantık olabilir?

"Sen karını görmüyor musun, ona söyledin mi benimle birlikte olduğunu" dedi sonra. Kısasa kısas, dişe diş. Kadınların düşünce sistemi bu kadar sıradan işte. O yapıyorsa ben de yaparım. Ne ilgisi var? Ben bir çocuk sahibiyim. Evlenmiş olmam suç mu, çocuğum var diye hep bunun cezasını mı çekeceğim? Eve her gittiğimde, Demet Sinan'la buluşmaya mı kalkışacak? Geçen gün, Murat Can'ı kucağına aldığında yüzüne baktım. Sanki beyninin içinden geçenleri okudum. Hiç belli etmiyor, açık vermemeye çalışıyor, ama belli ki o da bir çocuk sahibi olmak istiyor. O anı öyle tuhaf yaşadı ki... Sanki bu çocuk ikimizin olsaydı der gibiydi. Oysa ben çocuk istemediğimi defalarca söyledim. Evet, bunu Demet'e de söyledim. Bir çocuğum var benim, onu çok seviyorum, bir başka çocuğu aklıma bile getiremiyorum. Belki de bunu yalnızca Selin'e söyledim, ama Demet'in de beni anlaması gerekmez mi? O gün ona bakarken, "Biz seninle böyle bir tablo oluşturamayacağız" demek geldi içimden, diyemedim. Kendi anlasın bunu diye bekliyorum. İki kişi, deli gibi birbirini sevse de, arzuları, özlemleri örtüşmüyor. Ne olacak peki o zaman?

Selin gebe kalmış. Bu aklıma geldikçe deliriyorum. Nasıl yapar bunu bana? Böyle bir ortamda bir kadın çocuk doğurmayı nasıl düşünür? Demet tüm hayallerini içine gömüp, benim yüzümden çocuk doğurmamaya bile razı, ama Selin istemediğimi bildiği halde bir çocuk daha doğuracak. Sanki dünya umurunda değil. Demet bunu öğrenirse ne yaparım ben?

Çevremdeki herkes benden nefret ediyor. Annem her gün arayıp bağırıp çağırıyor. Geçen gün, "Hayvan yapmaz senin yaptığını. Onlarda bile bir aile duygusu vardır, hem de karın hamile!" diye bağırdı. Kaynanam beni görür görmez hışımla evden çıkıp gidiyor. Öyle bir bakıyor ki bana, bakışları resmen canımı acıtıyor. Geçen gün kapıda karşılaştık, yanımdan geçerken "Çöz" dedi tıslar gibi, "çöz!.."

Ne demek istedi? Neyi nasıl çözeyim ben? Selin'e hiçbir düşmanlığım yok. Onun o bembeyaz yüzünü, sürekli üşüyen ve titreyen iyice zayıflamış bedenini, kızarmış ıslak gözlerini gördüğümde benim de canım yanıyor. O, bundan sonra ne yapacak? Elimde değil, kıskançlık asla değil bu ama, "Selin bundan sonra biriyle olabilir mi, Murat Can'ın annesi birinin kollarında nasıl uyuyacak, kiminle sevişecek" diye düşünüp geriliyorum. Nasıl olur bu? Selin nasıl başka bir erkekle sevişebilir? Düşünmekten kafam süngerleşti. Ama elimden bir şey gelmiyor. O evde kalamıyorum, oturamıyorum, deliriyorum. Demet yirmi dört saat aklımdan çıkmıyor. Onu görmeden yapamıyorum.

Soğuk, neşesiz, boktan bir herif oldum. Hiç kimseye, hiçbir duygu beslemiyorken ne denli iyiymişim... Mutsuzluk bu olsa gerek. Aşk da mı bu? Aşk buysa eğer, of be...

Sadece suçluluk verdi

Sinan

"Kadınlara hiç durmadan iltifat edeceksin. Onları dünyanın en güzel kadını olduklarına inandıracaksın. Kadınlar ilgi açıdır oğlum. Ne kadar ilgilenirsen, ne kadar verirsen doymazlar. Bir saniye önce gözünü oymak üzere olan kadına şöyle bir bakıp, 'Ne kadar güzelsin' de, hiçbir şey olmamış gibi, kedi gibi sokulurlar yanına. Onun için Demet'e kendini hiç unutturma, sürekli ilgilen, iltifat et, hediyeler, çiçekler yolla, sürprizler yap. Kadınlar için karmaşık derler, tam tersine, çok basittir mekanizmaları" dedi amcam.

Ona inandım. Herhalde bir şeyler biliyor ki, o kısa boylu dazlak adamın yanında, her zaman fıstık gibi bir kadın olur.

Oysa ben, Demet böyle sıradan şeylerden, yapay ve şekilci davranışlardan hoşlanmaz sanıyordum. Bundan ötürü de yapay bir davranışta hiç bulunmamıştım bugüne dek. Ona hiç sürpriz yapmadım, hiç çiçek almadım, hiç şiir yazmadım. Böyle şeyler yapmış olmak için yapılmaz ki. O da bundan ötürü hiç yakınmamıştı bugüne dek.

Benden uzaklaşmaya başladığı günlerdeyse, ne yapacağımı şaşırdım. "Ne yapıyorsun?" diye telefon etmekten başka bir şey gelmedi elimden. Aslında gidip yalvarmak, kapısının önünde yatmak istiyordum, ama bunların onun hoşuna gitmeyeceğini tahmin ediyordum.

Sonra bir gün, "Arama beni, biraz rahat bırak!" diye ciyak ciyak bağırıp telefonu yüzüme kapattığı gün, bardaki o kızla çıktım. Bir rastlantı oldu, aynı anda kapıya yöneldik. "Neyle nereye gideceksin?" dedi. "Otomobilimle evime" dedim ben de. "Ben de geleyim" dedi. "Evde annem ve babam da var, gel sana ıhlamur kaynatırlar" diyecek halim yoktu. "Gel" dedim yalnızca. "Nerede oturuyorsun?" dedim. "Boş ver" dedi, "gidebildiğin yere kadar git, sonra da beni ek." Öylesine sürmeye başladım arabayı. "Çok kasıntısın" dedi. "Hava mı atıyorsun, yoksa gerçekten böyle misin? Aslında senin içindeki neşeli adamı ortaya çıkarmaya çalışıyorum." Elini dizime koydu. Birdenbire aptallar gibi "Ben âşığım" sözleri döküldü ağzımdan. "Olabilir, bu senin özrün ve bu durumun benim sana dokunmak istememi engelleyecek bir şey değil" dedi. Bacağımı okşadı. "Ne istiyorsun?" diye sordum. "Beni bekleyen, beni seven, beni isteyen, merak eden hiç kimsenin olmamasının tadını çıkarmak istiyorum, yani gerçek özgürlüğün" dedi.

O an ona acıdım ve o an onu canım istedi. Aylardır kimseyle birlikte olmamıştım, bu yaşımda bir kez rüyamda boşalmıştım, canım artık hiç sevişmek istemeyecek sanıyordum. Kurumuş gibiydim. Şimdiyse içimde uyanan kıpırtılara sevinmiştim. Bizim evin yolundaki gündüzleri park olarak kullanılan arsaya saptım, bir ağacın altında durdum. Öpüşmeye başladık. Birden kedi gibi arka koltuğa atladı. Küçücük bir şeydi, bunu kolayca yaptı. Ben de kapıyı açıp arka koltuğa geçtim. Çok heyecanlanmıştım. Her erkeğin cinsel hayatında bir kez mutlaka yaşadığı otomobilin arka koltuğu deneyimini, şimdi ben de tadacaktım. Pantolonumun fermuarını açtı, elini içeri soktu. "Çok güzel, bravo" diye mırıldandı. Aceleyle pantolonunu çıkardı, "Sen çıkarmasan da olur, biri gelirse kolayca kaçmamız gerekir" dedi. Sonra ağzına aldı. Olağanüstü yapıyordu bunu. Sanki tüm vücudumu ağzının içine alıyordu. Ellerini, dilini, dudaklarını nasıl kullanıyordu böyle. Nereden öğrenmişti küçücük kız bütün bunları? Boşalmak üzereydim, dayanamayacaktım. Yüzüme baktı, "Tutma kendini, boş ver, kırk yılda bir tadını çıkar bunun" dedi. Utanmıştım, saçlarından tutup çektim. Doğruldu. Yüzü yüzüme dönük, üzerime oturdu. Öpüşüyorduk ve yalnızca o hareket ediyordu. Kaslarıyla beni yakalayıp bırakıyordu... Bu yaşta bir kız bu kadar mükemmel olabilsin... Bir an bittikten sonra para isteyeceğini bile düşündüm.

Dayanamıyordum. Kendimi tutamayacaktım. Oysa kızı sevmiştim, istiyordum ki, ona da zevk verebileyim... Tutamadım. Müthiş bir ses çıkararak boşaldım. İlk kez kendimden böyle bir ses çıktığını duyuyordum. Demet ve ben oldukça sessizdik...

Kız, kendini silmeye bile gerek duymadan üzerimden indi. Pantolonunu giydi. "Güzel boşaldın, mükemmeldi" dedi. "Ya sen?" diye sordum aptalca. "Boş ver" deyip öne atladı. "Ama hiç olmazsa sen, kadın ah, oh der demez, orgazm olduğunu sanan şapşallardan değilsin, bu iyi" dedi. "Bunu çok sık yapar mısın?" dedim. "Neyi?" dedi. "Hiç tanımadığın bir erkekle sevişmeyi" dedim. Biraz düşündü, yanağıma bir öpücük kondurdu, "Bir kere seni tanıyorum, bu ilk karşılaşmamız değil, ikincisi de, âşık olmadığım zamanlarda yaparım, evet" dedi. Hüzünlenmiş gibiydi, "Ama sen âşıkken de yapabiliyorsun, işte aramızdaki fark" dedi sonra. Güzel bir semtte, şık bir apartmanın önünde durduk, inerken, "Ben hep o kulüpteyim, istersen görüşürüz. Eğer sana âşık olursam, bir daha başkasıyla böyle bir şey asla yapmam. Üstelik sen aşkıma karşılık vermesen de yapamam, ama üzülme, duygularımdan senin haberin bile olmaz" dedi ve gitti.

Nedense içimde bir utanç duygusu yaratmıştı. Hem pişmanlık hem utanç...

Sonra Demet'e yolladığım mesajları, mektupları çoğalttım. Ona şiirler yazıp çiçekler yollamaya başladım. Üstelik bunları amcamın önerisi üzerine değil, gerçekten içimden geldiği için yapıyordum. O kız, içimdeki suçluluk duygusunu ortaya çıkarmıştı. O kız sayesinde, "İnsan âşık olduğunu bilmeli, aşkı içinde yüceltmeli, onu köreltmemeli" diye düşünüp durdum. Bunca yıl Demet'e haksızlık ettiğimi, onu kanıksadığımı, sahip olduğu değerleri sıradan görmeye başladığımı anladım. Mektuplarla, mesajlarla, çiçeklerle bu duygularımı, yani pişmanlığımı Demet'e de aktaracağımı düşünüyorum.

Belki de bugüne dek, şimdi olduğum gibi davranabilseydim bütün bunlar başıma gelmezdi. Demet'i yitirmezdim. Onun için savaşıyorum şimdi. Onu geri alınca şimdiye dek yapmadığım her şeyi yapacağım onun için. Buna eminim. Ama bunu ona anlatamıyorum.

50

O da acı çeksin

Demet-Bora-Selin-Sinan

Demet, Bora'ya hamile olduğunu söylediğinde, Bora gerçekten o an düşüp öleceğini düşündü. O sırada, baş ağrısı ensesine yerleşmiş, yavaş yavaş yukarılara doğru çıkmaktaydı. Bunu Demet'e hissettirmemeye uğraşıyor, mutfakta salata yapıyordu. Buzluktan çıkardığı köftelerin paketini açarken Demet, "Ben hamileyim Bora" dedi. Yavaş yavaş, ama emin adımlarla beyne doğru ilerlemekte olan baş ağrısı, bu sözü duyunca hızlandı ve beynin tam ortasına, her zamanki yerine yerleşti. Bora'nın ayakta duracak hali kalmamıştı. Filmlerdeki gibi, sevinçle sevgilisine sarılan bir erkek rolünün şu durumda iyi gideceğini bile düşünemeden, mutfaktaki iskemleye oturdu. Başını elleri arasına aldı, sıkmaya başladı. Beyin damarlarından biri tıkanmış olabilirdi, hiç bu kadar şiddetlisini yaşamamıştı bu ağrının.

Demet köfteleri çıkarıp tavaya yerleştirdi. Bora'nın, "Ne mutlu bize sevgilim, demek aşkımızın bir meyvesi, bebeğimiz olacak" diyerek ona sarılmasını beklemiyordu, ama bu kadar sessiz kalması da oldukça tuhaftı. Dönüp Bora'ya baktı. Bora başını ellerinin arasına almış kıpırdamadan oturuyor, hem öleceğini düşünüyor, hem Demet'in "Bu çocuğu doğuracağım" demesinden korkuyor, hem de "Zaten bu çocuklar yakında babasız kalacak" diye içinden geçiriyordu.

"Bu kadar üzülecek ne var" dedi Demet, "olay senin değil, benim başıma geldi, senin yapacağın hiçbir şey yok, en fazla gelip yanımda durabilirsin bir süre, hepsi bu." "Bir çocuk da benden olsun ne var bunda" demeyi geçirdi içinden, ama söylemedi. "Üzülmüyorum, başım çatlıyor, belki de hastaneye gitmem gerekiyor" dedi Bora. Demet sinirlendi: "Çocuğun olacağı haberini aldığında hastaneye mi gidersin hep." Bora başını kaldırdı, gözleri şişmiş, kısılmış, kanlanmıştı, "Ölüyorum galiba Demet" dedi. "Kalk gidelim o zaman" dedi Demet, şefkatli davranmaya çalışmıştı, ama sesi oldukça sinirli çıkmıştı. Oysa Bora'nın ciddi olduğunu anlamıştı. Hastaneye gittiler... Bu, Bora'nın bundan sonraki hastalık olasılıkları için doktorlara gidişinin başlangıcı oldu. Demet ise zaten doğuramayacağı çocuğunun hiç olmazsa birkaç gün kutlamasını yapacaklarını düşünürken, o geceyi Bora'nın baş ağrısına odaklanmış olarak hastanede geçirdi.

Demet gebe kaldığını annesine söylediğinde alacağı yanıtı kelimesi kelimesine biliyordu: "Bu çağda korunmasını beceremeyen aptal kızlar varmış demek." Aptallık ettiğini o da biliyordu, nasıl olmuştu anlayamıyordu. Ağlamaya başladı. Annesi ona sarıldı, "Üzülme olmuş bir kez, olanı üzülerek, ağlayarak çözemeyiz ki, doğurmak istiyor musun kızım?" dedi. "Nasıl olur ki böyle bir şey anne... Nasıl doğururum bu durumda ben çocuk? Ama bunu bir süre Bora'ya söylemeyip ona acı çektirmek istiyorum" dedi. "İnsan sevdiği erkeğe acı çektirmek ister mi?" dedi annesi. "O, hâlâ karısından boşanmayıp beni herkesten saklayarak nasıl bana acı çektiriyorsa, ben de öyle çektiririm işte, hiç olmazsa birkaç gün" dedi Demet. "Ben, aşkın kurallarını unutmuşum o zaman" dedi annesi de.

Doktorun muayenehanesine annesi ve Güler'le birlikte gittiler. "Hastanede yaptırsaydınız ya şunu" dedi Güler. "Kürtaj artık o kadar kolay bir iş ki" dedi annesi.

Demet'i içeri aldılar. Bir süre sonra Demet, yavaş, küçük adımlarla annesi ve Güler'in kolunda kapıdan çıkıyordu. Âşık olduğu adamın çocuğunu, âşık olduğu adam istemediği için aldırmıştı. Üstelik şu yaşadığı dakikalardan o adamın haberi bile yoktu... Zaten yanında olmasının bir gereği de yoktu. Elini tutup saçını okşayarak, yitirdikleri bebek için gözyaşı dökmeyecekti... Tam aksine mutlu olacaktı...

Demet Bora'ya birkaç gün annesinde kalacağını, çünkü annesinin hasta olduğunu söyledi. Bora da Demet'e, "İyi ben de birkaç günlüğüne arkadaşlarımla dağa çıkacaktım zaten" dedi. "Nasıl dağa?" dedi Demet. "Kayak yapmaya, kar yağmış oralara" dedi Bora. Demet kulaklarına inanamadı, sevgilisi yanında o olmadan gezmeye gidiyordu. "Kiminle gidiyorsun?" diye sordu. "Bizim çocuklarla" dedi Bora. "Yani bensiz gidiyorsun" dedi Demet. "Erkek erkeğe gidiyoruz, bunda kızılacak bir şey yok, ilk kez iş yolculuğu olmadan, özgürce takılacağım arkadaşlarımla" dedi Bora. Özgürlüğü özleyen Bora, ilk kez kendisine ait bir evde yaşıyor, ama özgürce davranamıyordu. Hayatında hesap vermesi gereken kişiler çoğaldıkça çoğalıyordu.

Telefonu kapatmış ağlıyordu Demet. Annesi kızının saçlarını okşadı, "Bunda kızılacak bir şey yok, bu herkesin en doğal hakkı değil mi? Yarın sen kız arkadaşlarınla bir yere gittiğinde o da sana kızsa hak verecek misin?" dedi. "Ama anne, geçen gece de beni bırakıp arkadaşlarıyla bara gitti ve sabaha kadar dönmedi... Özgürlüğünü yaşıyormuş. Evli olunca özgürlük yaşanmıyor da, âşık olunca nasıl yaşanıyor?" Annesi sustu, hayatta tek dayanamayacağı şey kızının üzgün olmasıydı ve artık o ne söylese kızı incinip kırılacaktı.

Selin, çocuğu aldırmaktan vazgeçti. İkinci bir çocuk çok istediği bir şeydi, "Bora yüzünden neden vazgeçeyim bundan" diyordu. Annesi Bora'nın eve dönmeme olasılığını hiç düşünmüyor, ama kızının üzülmemesi için verilecek en doğru kararın ne olduğunu bilemiyordu. "Önünde çok zamanın yok, lütfen iyi düşün kızım" diyordu. Selin de düşünüyordu. Geleceğindeki tüm olasılıkları tek tek yazmış, uzun uzun düşünmüştü. Borasız büyütülen iki çocuk, ama çocuklarını seven sahip çıkan bir Bora, Bora'yla geçirilecek bir ömür, biraz yıpranmış, biraz kırgın ya da yeniden alevlenen aşkları, başka bir erkek ve iki çocuk... Bora'ya verilebilecek en güzel ceza başka bir erkekti aslında.

Televizyonda gösteri yapan jetleri izliyorlardı. Annesi, "Bunları yasaklamak gerek, ne anlamı var insanların yaşamlarını tehlikeye sokmaya, ne işe yarıyor bu gösteriler" dedi. Selin, "Bu gösteriler bana çok erotik geliyor anne" diye yanıtladı. Annesi irkildi, "Nasıl bir erotizm olabilir burada" dedi. "O pilotları düşünebiliyor musun anne, o hızla, bir metre var aralarında, adamların cesaretini düşünebiliyor musun? O adamlardan biriyle yatmak kim bilir nasıl olurdu" dedi. Annesi rahatsız oldu, kızıyla bu tür sohbetler hiç yapmamıştı bugüne dek. "Selin, sen aklını kaçırıyorsun, cahil bir kadın olsam suratına bir tokat atardım seni kendine getirmek için şimdi. Ne biçim konuşuyorsun" dedi. Hem çok şaşırmış hem çok sinirlenmişti. Selin'in ağzından böyle sözcükler çıktığını bugüne dek hiç duymamıştı. O çok kontrollü bir kızdı, böyle yetiştirilmişti.

Selin de annesinin çok kızdığını anlamıştı, "Peki anne tamam, merak etme yatmayacağım o pilotlardan biriyle" dedi. Yatmayacaktı gerçekten... Şu anda o pilotlardan biri yanında bile olsa yatmazdı. Öylesine konuşmuştu işte. Canı sevişmek istiyordu, ama o pilotlarla değil. Bora'yı istiyordu, eskisi gibi yatakta ona sarılmak, onunla sevişmek istiyordu. Göz altlarındaki torbaları aldırmak, burnunun ucunu düzelttirmek, memelerine silikon koydurmak, bacaklarındaki yağları aldırmak istiyordu. Kendini çok çirkin bulmaya başlamıştı, "Belki de Bora bu yüzden gitmiştir" diye düşünüyordu. Tüm bu ameliyatları bebeğin doğumunun sonrasına erteledi.

Sinan, tüm uğraşları sonunda Demet'ten bir randevu daha kopardı. "Annemdeyim, biraz rahatsızım, oraya gel" demişti Demet. Sinan o kızla barda defalarca karşılaşmasına rağmen, bir daha birlikte olmadığı için kendine güvenli, kocaman bir çiçekle gitti Demet'in annesinin evine.

Kız gürültülü müziğin ortasında dans ederek bağırmıştı Sinan'ın kulağına, "Hâlâ âşık mısın?" diye. "Evet" demişti Sinan. "Ben de" demişti kız.

51

Birbirlerini sevdiler

Güler-Demet-Selin

Akıllı geçinen ben, bu kadar çaresiz kalayım, kırk yıl düşünsem aklıma gelmezdi bütün bunlar. Ah Yılmaz ah... Seninle bunları konuşup tartıştığımızı düşlerimde görüyorum hep. Sen sürekli gülüyorsun, çok net bir çözüm bulduğun belli. Onlara söylemeli miyim, söylememeli mi? Gülen gözlerinden belli oluyor, doğru yanıtı buldun. Söyleyemiyorsun bir türlü. Otobüsün yuvarlandığı tarlaya dönüşüyor ortalık. Her yer zifirî karanlık, insanlar, bavullar, otobüsün parçaları ortalığa saçılmış. Birkaç kişi haykırarak koşuşuyor. Sadece iniltiler, bağırtılar duyuluyor. Yerde yatan insanlar arasında sürünerek seni bulmaya çalışıyorum. İşte sensin, sırtüstü yatıyorsun hiç kıpırdamadan. "Yılmaz, Yılmaz, kalk, uyan, bir şey söyle." Yazın ortasında hava buz gibi... Dudaklarımdan akan kan, senin yüzündeki kanlara karışıyor. Kaskatısın. Üzerine çıkıp sarsıyorum. "Ölme sakın, uyan uyan, ölme ne olur Yılmaz." Üstüne yatıp bütün vücudumla seni sarmalıyorum, üşüme, ölme, beni bırakma ne olur...

Rüyalarıma girmeyen tek gün, yıllar sonra gerçekten öldüğün o gün. O upuzun boyun ve incecik bedeninle gerçekten öldüğün o gün. Doktorlar, "Kaza anından itibaren onun bu kadar uzun yaşamasının tek nedeni sizsiniz" demişlerdi bana. Ben değildim, bizdik aslında. Senin beni terk etmek istemeyişindi Yılmaz...

Bu kızlar beni o kadar üzüyorlar ki, onlar yüzünden tam beş kilo verdim. İçim içimi yiyor çünkü. Aslında memnunum kilo vermekten, ama bunu keyifle yapsam daha iyi olurdu. Sonra müthiş bir şey yaptım. Demet'in annesinin saçlarını çok beğenince, "Ben sizi götüreyim kuaförüme" dedi... Gittik. Saçlarımı fönlettim, bir de röfle yaptırdım. Kendimi tanıyamıyorum şimdi aynaya baktığımda, yabancı bir kadın gibiyim. Kızlar beni çok beğendiler, avaz avaz bağırdılar "Ne kadar güzel olmuşsun" diye. Okuldakiler de beğendi, Çetin de... "Şimdiye dek neden yapmamışsın ki bunu" dedi. Karar verdim şu yüzümdeki beni de aldıracağım yakında. Neyse, sonra öğlen çıkıp balıkçıya gittik Çetin'le. Konuyu bir tek ona açabiliyorum. Kızlarla ilgili soruna onun bir çözüm önereceğini düşünüyordum. Ama o da bana akıl veremiyor. Onun da iyice kafası karıştı. İçlerinde en çok acıdığı kişi ise Bora. "Her şey onun vereceği karara bağlı, gözlerini adamın gözlerine dikmiş iki kadın, hadi Bora diyorlar... Bir yanda evi çocuğu, doğacak çocuğu, öte yanda âşık olduğu kadın. Kendi hayatını seçemiyor, kendi hayatı hakkında karar veremiyor, ne büyük derttir bu, büyük bir kıskaç içinde. Adamın işi çok zor" dedi. Ben böyle düşünmüyordum doğrusu. Hatta hayatındaki kadınları böylesine üzdüğü için suçluyordum onu. Yani kararsızlığına acımıyor, aksine sinirleniyor, bencillik diye görüyordum. Keyifle, iki kadını birden idare ettiğini sanıyordum. Acaba bu bir erkek mantığı mı, Yılmaz da olsa böyle mi söylerdi?

Çetin karısından pek söz etmedi o gün, ben konuyu açtığımdaysa, "Unutmak istiyorum boş ver, hayat devam ediyor, düzeltemeyeceğimiz şeyleri kafamızdan atarsak, yaralarımız daha çabuk onarılmaz mı?" dedi. Şarap kadehlerimizi tokuşturduk hayata...

Selin'in saçlarımı gördükten sonra ilk sorduğu soru ise şaşırtıcıydı; bunu Demet'ten beklerdim de Selin sorunca biraz yadırgadım, "Aslında hoş kadınsın Güler Abla, seks yapmadan nasıl yaşayabiliyorsun?" diye sordu. "Aslında" sözcüğü pek hoş değildi tabiî, bu sözcük insana bir ümit vaat ederken, pek çok olumsuzluğu da hatırlatıyor. Ama biliyorum o bana yürekten bir iltifat etmişti.

Nasıl yaşıyorum gerçekten? "İnsan bir şeyi çok sık yapınca canı istiyor Selin, tıpkı yemek yemek ya da uyumak gibi, ama yapmayınca bu senin doğal yaşamın oluyor, unutuyorsun, istemiyorsun" dedim. "Olamaz bu bir ihtiyaç" dedi. Sonra da "Seks nedir sence Güler Abia?" diye sordu. Seks nedir? Ne tuhaf bir soru bu. "Doğrusu bu konuda çok deneyimim yok, ama sanıyorum ki, çok beğendiğin ve sevdiğin birisiyle yapınca çok farklı olan bir şey. Yani sevgi olmadan yapınca çok anlık bir zevk ama, bilemiyorum seviştikten sonra dokunmak istemediğin, yataktan hemen kalkıp giyindiğin birisiyle yaptığın seks ne kadar başarılı olursa olsun sadece o süreyi kapsıyor, ama öteki çok uzun sürüyor, ertesi gün bile onu yanında hissedebiliyor, kokusunu duyabiliyorsun, doyuma ulaşmasan da bir doyum o, tam anlatamıyorum ama" dedim. "Ben de bilmiyorum seksi seks için yapmak nasıl bir şey. Yani insanın canı çok istediğinde, eğer yanında sevdiği bir erkek yoksa yalnızca hoşlandığı için yapamaz mı? Kötü bir şey mi bu?" dedi Selin. "Kötü bir şey olduğunu sanmıyorum" dedim. "Sevişmenin nesi kötü olabilir? O kadar doğal bir şey ki... İster âşık ol, ister olma, sevişiyorsun, zevk alıyorsun, bu nasıl ayıp ya da kötü olabilir? Ama bunu ayıplar listesine sokmuş birileri, özellikle kadınlara" dedim. "Yatakta iyi olmak nasıldır peki?" dedi sonra. "Ne bileyim ben" dedim. "Sanırım en iyisi, doğal olmak, hiçbir şeyden utanmamak, istediğiniz ne varsa çekinmeden yapmak, sevişirken gülmek, konuşmak, dalga geçmek, böyle bir şeydir iyi seks" dedim. "İyi erkek de aynen böyle olmalı değil mi?" dedi Selin. "Tabiî erkeğin çok doğal olması biraz tehlikeli" dedim gülerek. "En azından kendi boşalma süresini bilmeli ve bir şekilde kadını düşünmeli öyle değil mi?"

Bunları alışveriş merkezinin kafesinde konuşuyorduk. Kafamı karıştırmıştı, daha doğru, daha anlamlı yanıtlar bulmaya çalışıyordum ona söylemek için.

Sonra birden, hayal görüyorum sandım, az kalsın kahve fincanını elimden düşürüyordum. Bu, olamayacak bir şeydi, hayır olamazdı. Tam karşımda gülerek bize doğru gelen bir kız görüyordum. Evet, yaklaşıyordu... Evet, Demet bize doğru geliyordu. "Hayır, hayır olamaz!" diye bağırarak yerimden kalkıp kaçmak istedim. Kafam o kadar onlarla yoğunlaşmıştı ki, gerçekten düş görüyorum sandım. Ama düş değildi, Demet tüm sevimliliğiyle karşımdaydı, "Nasıl yakaladım ama seni" diyordu. Selin de ona gülerek bakıyordu oturduğu yerden.

Duruma uygun, en doğru şeyi söyleyeceğimi ummuyordum zaten, ama iyice saçmaladım, "Biz de tam kalkıyorduk" dedim. Selin şaşkın şaşkın baktı yüzüme. Kırılmış gibi konuştu Demet, "Bir kahve de ben içeyim, sonra birlikte kalkarız" dedi. Selin yanındaki iskemlede duran çantasını aldı, "Buraya oturun" dedi.

Ne yapacaktım ben şimdi, ne yapabilirdim, ne yapmalıydım? Önce kalkıp gitmeyi düşündüm, ikisi orada kalsın, ne olacaksa olsun, ne yaşayacaklarsa yaşasınlar, belki de daha iyi olur dedim. Kalkamadım. O iki kızı orada öyle bırakamazdım. Hem niçin kaçıyordum?

"Ben sizi tanıyorum, hep izliyorum, çok hoşuma gidiyorsunuz, o kadar sıcacık, yumuşacık bir sesiniz varki, çok farklısınız" diyordu Selin Demet'e... O da ona gülüyor, teşekkür ediyordu.

"Peki siz ne yapıyorsunuz?" diye sordu Demet. Onları konuşturmamam gerekiyordu, "Biliyor musun, o bacaklarının yağını aldırmak istiyor, aklını kaçırdı" dedim. "Ah, inanmıyorum" dedi Demet, "o kadar güzelsiniz ki, inceciksiniz, bakayım nereyi aldırmak istiyorsunuz?" Selin ayağa kalktı, kazağını kaldırdı ve kalçalarını gösterdi. Demet gülmeye başladı, "İşte biz kadınlar bu kadar aptalız, siz de biliyorsunuz incecik olduğunuzu ama, böyleyiz işte" dedi. İkisi de gülüyorlardı birbirlerine bakıp. "Oysa erkekler için böyle şeyler yapmaya hiç değmez" dedi Selin. "Bunu bir erkek için yapacağınıza inanamam zaten" dedi Demet. Selin şöyle bir düşündü ve "Erkek için yapılmaz, ama bir şekilde erkekler sebep olur bazı şeylere" dedi. Demet anlayışla başını sallayarak bana döndü ve "Anlaşılan bu arkadaşın da erkeklerden yana başı dertte" dedi. "Hem de nasıl" dedi Selin, "bir anlatsam sana..." "Evli misin?" dedi Demet... "Fena halde evliyim" dedi Selin de. Birdenbire senlibenli konuşmaya başlamışlardı. Hani iki kadın bir yerde tanışırlar ve yarım saat içinde en yakın dostmuşlar gibi birbirlerine bütün sırlarını anlatıp öğüt vermeye başlarlar ya, işte öyle olmuşlardı aniden.

Bir rejim listesi veriyordu Demet Selin'e... "Doğal liflerden oluşan bir tozu, yemeklerin içine atacaksın, sonra da üzerine bardak bardak su içeceksin..." "Ben şimdi bunu yapamam" dedi Selin. İnanamıyordum, şimdi hamile olduğundan söz edecekti, inanamıyordum.

"Şuradaki adama bakar mısınız ne kadar hoş" dedim birden. Sustular, ikisi de, "Hani, hangisi?" dedi. Benden böyle bir şey beklemiyorlardı, çok hoşlarına gitmişti bu tavrım. Biraz ötedeki adamı işaret ettim... Hiç de hoş olmayan birini. İkisi de "Aman sende, bunun neresi hoş" dedi. "Ne bileyim ben, gülüşü hoşuma gitti bir an" dedim. "Bu aralar hoş olan sensin Güler Abla" dedi Selin. Neyse hamilelik konusu kapanmıştı. Artık kalkmamız gerekiyordu. Nasıl kalkacaktık, Allah kahretsin iki kız birbirinden çok hoşlanmıştı.

"Böyle bir arkadaşın var ve bizi bir araya getirmedin Güler aşk olsun sana, insanın arkadaşlık kuracağı kişiyi bulması o kadar zor ki, ne iyi olurdu bizi daha önce tanıştırsaydın" dedi Demet. "Her şeyin bir zamanı var demek ki, bundan sonra görüşürüz artık" dedi Selin de. Hemen cep telefonlarını çıkardılar, birbirlerinin telefonlarını kaydettiler.

"Demet, seni izlerken hep düşünürdüm, bu kız hem çok güzel hem de belli ki akıllı, neden ona esas haberleri okutmuyorlar diye..." dedi Selin... "Sen de çok güzelsin ve belli ki akıllısın, seni çalıştığın yerde genel müdür yapıyorlar mı?" dedi Demet de. Sonra güldü kendi kendine, "Yok bu benzetme pek olmadı" dedi. "Olmadı evet, çünkü senin işinde fizik çok önemli. Ama akıl... Bazen akıl sorunları çözmekte yeterli olmuyor değil mi Güler Abla?" dedi Selin. "Hem de hiç, hiç yeterli olmuyor" dedi Demet gülerek.

"Örneğin senin kocan iki çocuğa rağmen durup dururken evi terk etse ne yaparsın?" dedi Selin.

Mideme kramplar giriyordu artık, çaresizliği yaşıyordum, eziliyor, kahroluyordum. "Kalkalım artık" dedim. "Bir dakika" dedi Demet. Ciddileşmişti. Bir şeyler hissetmiş olamazdı, çünkü Selin neyse ki "iki çocuğa rağmen" demişti. Demet'in neşesi kaçmıştı, canı sıkıldığı belliydi; "Ben o adamı bir daha kabul etmezdim" dedi. "Peki sen evli bir erkeğe âşık olsan ne yapardın" diye sordu o da. "Ben böyle bir salaklık yapmazdım" dedi Selin. "Eminim sen de bu kadar aptal olamazsın."

Hâlâ inanamıyordum şu anda olan bitene. Bir rüya görüyorum sanıyor, uyanacağım anı bekliyordum. "Hadi gidiyoruz, benim randevum var" dedim yeniden. "Buradan bize gidelim" dedi Selin. "Çok isterdim, ama bu gece sevgilimle buluşacağım" dedi Demet. "O da gelsin" dedi Selin. "Gelemeyiz biz" dedi imalı bir sesle Demet. İşte başlıyordu, birbirini seven iki kadının en özel sırlarını en ince ayrıntılarına kadar anlatma seansı başlıyordu. Bunun altından kalkamazdım, bundan sonra olacakları izlemeye katlanamazdım, bu iki kızın duyacağı acıya sebep olmamalıydım, onlardan sakladığım bu büyük yalanı şu anda öğrenmeleri her şeyin sonu olurdu, dostluklarımızın bile... Elimi masaya vurdum... "Bıktım sizin dertlerinizden artık, biraz da benimle ilgilenin, ben âşık oldum" dedim.

Başka bir şey aklıma gelmemişti... Bir kez daha şu adama bakar mısınız ne hoş diyemezdim. Aklıma gelen tek şey buydu... İkisi de bana dönüp baktılar. İkisinin de yüzündeki ifade aynıydı... Şaşkınlık ve sevinçle gülümsüyorlardı. Yüzüm kızarmıştı, suçlu bir kedi gibi büzülmüştüm yerimde. "İnanmıyorum Güler Abla!" dedi Selin, "Yaşasın!" diye bağırdı Demet. Sonra ikisi birden "Kime?" diye sordu. "Çetin'e" dedim.

Ondan sonra hep Çetin'i konuştuk.

Sonra kalktık, hepimiz mutluyduk. İki kız tekrar görüşme sözü vererek kucaklaştılar...

Bundan sonrası için yapabileceğim hiçbir şey yoktu. Tek üzüntüm, sonunda beni suçlayacaklarıydı.

Üstelik bir de yalanlarımın arasına şu aşk masalı eklenmişti.

"Belki de yalan değildir" diye şimşek gibi bir düşünce geçti beynimin orta yerinden.

52

Sıradan insanlarsınız
Demet-Bora

Demet'in annesi Bora'dan hiç hoşlanamadı. Birkaç kez buluşturdu Demet onları, Bora her buluşmaya giderken iki dirhem bir çekirdek giyindi, tüm şirinliğini takındı, ama yine de anne adamı sevemedi. "Neden?" diye sorduğunda, "Dürüst değil" diyordu kızına. "Dürüst değil, açık değil, cesur değil, hayatını yalana dayandırıyor. Bencil. Elinde olsa ikinizle birden sürdürmek isterdi yaşamını, bu mu erkeklik."

Bora'nın baş ağrılarına, mide krampları ve nefes darlığı da eklenmişti. Bir fayda umarak gittiği psikiyatrını bırakmıştı. Tutucu, gelenekçi bir adamdı. Evliliğin bitmemesi gerektiğine inanıyor, Demet'i gelip geçici bir heyecan olarak yorumluyordu. Moruk herif aşktan anlamıyordu. Psikiyatrdan kurtulmuştu ama, doktor doktor geziyordu. Bir yerlerinde çok önemli bir hastalık çıkacağından korkuyor, endişeyle doktorların gözünün içine bakıyordu. Demet, "İki gün önce gitmiştin ya beynin için" dediğinde, "İki gün önce olmayan bir şey, iki gün sonra çıkabilir ortaya" diyordu. "Sen hastalık hastası oldun" dedi Demet. Bora da, "Evet ama hastalık hastası olmak, insanın hasta olmayacağı anlamına gelmez" diye yanıtladı onu.

Selin'in "Yeter artık bir karar ver, döneceksen dön, yoksa boşan", Demet'in, "Ben bu gizli saklı yaşamı hak etmiyorum, karar ver artık ne istediğine" dediği gün, Bora aklına çok güvendiği birisiyle konuşma gereksinimi duydu. Birkaç yakın arkadaşı vardı, ama onlara danışamıyordu... Onun durumunu çok olağan karşılıyorlar, hatta gıpta ediyorlar, bunu kafasına takıp üzülmesine ise bir anlam veremiyorlardı. Danışmak, dertleşmek ihtiyacı duyduğunda tuhaftır ki aklına ilk gelen kişi Demet'in annesi oldu. Kendisinden hoşlanmadığını biliyordu, ama yine de o kadının dobra, açık sözlü, güvenilir bir yanı vardı. Kesinlikle çok akıllıydı ve en önemlisi anlayışlı, hoşgörülüydü. Selin'in annesi gibi tutucu, katı ve sert değildi.

Üçü birlikte yemeğe çıktılar. Bora esas konuya hemen girmezse, asla konuşamayacağını hissediyordu. Özel bir konuyu konuşmak için buluşulduğunda, insanlar ne diye önsevişme gibi, yapay önkonuşmalar yapıyorlardı. Yemekler ısmarlanır ısmarlanmaz, derin bir soluk aldı, konuşmaya başladı; "Demet'in güzel annesi... Elbette kızınızın yanında yer alacaksınız, tam anlamıyla objektif olamayacaksınız, doğal olarak benden pek hoşlanmadığınızı da biliyorum, ama bizim durumumuzu nasıl yorumladığınızı merak ediyorum. Siz olsanız nasıl çıkardınız işin içinden?"

Demet'in annesi gülümsedi, söylediklerimi anlayabilecek misin dercesine umutsuzca başını iki yana salladı. "Aileler kutsal değildir Bora, önce bunu düşün biraz" dedi. "Oysa Selin'in annesine göre aile kutsaldır" diye geçirdi içinden Bora.

"Kutsal aile yoktur, sevgi ve saygı temellerine oturmuş aile ya da sevgisizliğin başladığı çekilmez aile vardır. Ve çekilmez olduğundaysa, çocukların hatırı için bile olsa, insanlar bu işkenceye katlanmak zorunda değildir. Dünyaya bir kez geliniyor. İstemediğin bir insanla aynı yatağa girmekten daha acıklı ne olabilir? Gerçi karınla ilişkiniz çekilmez boyutlarda mı bunu bilmiyorum ama." "Tamam da, ama çocuk" dedi Bora...

"İleriyi düşünmeden yumurtlar gibi çocuk yapıyor kadınlar, sonra da bütün hayatları cehenneme dönüyor, kutsal anneliğin yarattığı, başı haleli bir mahkûma dönüşüyorlar... Ama kutsal babalık yok, onlar tutsaklığı yaşamadan devam ediyorlar hayata..." İçinden bunları geçirdi anne... Söylemedi, sonuçta kendisi de çocuk doğurmuş bir kadındı.

"Çocuklar sevginin tükendiği bir evde daha kötü olurlar. Akıllı anne babalar ayrılsalar bile, her an çocuklarını görerek, birlikte onlarla eğlenerek, asla birbirlerine düşmanlık yapmadan, babaya özel görüşme günleri saptamadan, doğal ve sıcacık yaşayabilirler. Yeter ki akıllı olsunlar. İnan bana çocuk daha da mutlu olur." Şöyle bir Demet'e bakıp gözlerini kaçırdı Bora, "Peki ya kıskançlıklar" dedi gülümseyerek. Demet rahatsızca kıpırdadı yerinde. "Bak Bora" dedi anne, "hayat hep bir adım ilerisini planlayarak yaşanamaz. Hele aşk... Böyle hesaba kitaba gelmez. Hesaplar tutmaz zaten, hiçbir şey senin planladığın gibi gitmez. Elbette kıskançlıklar olacak, insan bu... Elbette hayatındaki kadın ya da kadınlar seni kıskanacak. Sen bundan rahatsız olacaksın. Eski evindeki gibi dırdırlar, kuşkular başlayacak yeni kadında da. O ilişki de tekdüze olacak. Sen sıkılacaksın. Ve pat... Bir gün karşına çok hoş bir başka kadın çıkacak. Başlarda o seni kıskanmayacak. Sana çok cazip gelecek... Birlikte olduğun kadını üzdükçe, onun baskıları artacak... Öteki daha cazip gelecek... Bu böyle bir kısırdöngü."

Demet şaşkınlıkla annesine bakıyordu. Ne yapmak istiyor bu kadın diye düşünüyordu. Ne demek istiyordu?

Bora elini başına götürdü, "Off, ne kadar kötümser bir tablo çizdiniz" dedi.

"Off tabiî" dedi anne, "siz böyle doyumsuz tiplersiniz işte. Hayatınızda kadınlar olacak, uysal, sevecen, ne isterseniz ona göre davranan, yakınmayan... Sizin hayatınızda sorun yaratmayacaklar. Yaşadıkları olumsuzlukları size aktarmayacaklar. Sizin gibi muhteşem bir adama sahip oldukları için sürekli mutlu memnun yaşayacaklar. Yok öyle şey. Ne istediğini bileceksin, bu da cesaret ister, yürek ister... Hem hiç zarar görmeyeceksin hem de tüm isteklerin olacak. Bu ne bencillik böyle!.."

"Bencil değilim ben, çok üzülüyorum anlamıyor musunuz?" dedi Bora.

"Senin bilinçaltında iki kadın tarafından paylaşılamayan olağanüstü bir erkek olduğun düşüncesi yatıyor. Oysa bu bir rastlantı, olağanüstü falan değilsin sen. Ben anlıyorum seni, ama sizlerin beni anlaması olanaksız" dedi annesi.

Hiç durmadan konuşuyordu. "Üçünüz de çok sıradan insanlarsınız. Benim söylediklerimi anlamanızı beklemiyorum. Ben senin karının yerinde olsam çoktan kıçına tekmeyi vurmuş, kendime yeni bir sevgili bulmuştum bile. Bütün sorun çocuksa istediğin zaman gider çocuğunu görürsün olur biter. Zaten babalar ne kadar görüyorlar ki çocuklarını? Ben Demet'in yerinde olsam, eğer sana âşıksam gerçekten, ayrılıp ayrılmadığını düşünmeden yaşardım doyasıya, yok bayramda, yılbaşında karınla olacakmışsın, o evde seni bekleyecekmiş... Ne istiyorsam yapardım... Gezerdim, tozardım, sevişirdim doyasıya. Sensiz olduğum zamanlarda da istediğim gibi yaşardım özgürce... Adamın kıskançlıklarını filan kafama takmazdım. Kıskançlık yapmaya hakkın yok ki zaten. Senin yerinde olsam, eğer aşksa bu gerçekten, çıkar doyasıya yaşardım onu. Hiç geleceğimi düşünmeden. Biterse ne yaparım diye planlar yapmadan... Ama siz sıradan insanlarsınız. Toplumun dayatmalarına boyun eğmiş, ağlayıp zırlıyor, hastalanıyorsunuz. Gidin o zaman toplum kuralları ve gelenekler ne emrediyorsa onu yapın. Ondan sonra da ağlayıp zırlamayın..."

Bir sessizlik oldu masada. Bir süre kimse konuşmadı.

"Ben bunları kafadan atmıyorum Bora" dedi anne. "Ben yaşadım. Aşkım için kocamı terk ettiğimde Demet küçüktü. Ama hiç yara almadı, sağlıklı bir çocuk oldu o. Çünkü onun çevresindekiler akıllı insanlardı. Aşk için bunu yaptım evet... Yaparken de ileride ne olur diye hiç sorgulamadım. Yaşamam gerekiyordu yaşadım, çünkü gerçekten aşktı, o aşk denilen acılı, aptal şey ne ise bizimki de oydu. Ama sürmeyebilirdi de. İnan o zaman da hiç pişman olmaz, yoluma devam ederdim. Aslında bu kadar basit."

Bora Demet'in elini tuttu. "Hadi şimdi suflelerimizi yiyelim" dedi anne.

53

Seni seviyorum

Demet-Bora

Bora'nın, Demet'in annesiyle konuştuğu akşam aklı öylesine karışmıştı ki, başının, karnının ağrıdığını, soluk alamadığını bile unuttu. "Kadın beni allak bullak etti" diyordu kendi kendine, "ne kadar basitti söyledikleri, farklı tablolar koydu önüme, hepsi de çok net, çok gerçek, ama çok ayrı. Üçüncü bir kadından bile söz etti. Şaşırtıcıydı bir annenin böyle konuşması. Cesareti koydu önüme. Ne işe yarayacağı asla anlaşılamayacak olan cesareti. Sıradan dedi bir de bana. Sıradan."

Ertesi akşam Demet'i yemeğe davet etti. Çok şık bir restoranda yer ayırtmıştı. Demet annesini arayıp uzun süredir ilk kez, yakalanma korkusu olmadan yemeğe çıkacaklarını söyledi. "Aklı başına geliyor herhalde, beyni netleşti" dedi annesi.

Demet günlerdir süslenmediği kadar süslendi. Yine uzun uzun iç çamaşırı ve giysi seçimiyle uğraştı. İlk günkü gibi aynanın karşısında keyifle kendisine bakarken, epeydir bir blucin ya da eşofmanla dolaştığını fark ederek, kendini ayıpladı. Bundan sonra daha dikkatli olmaya karar verdi.

Bora tam zamanında geldi, yukarı çıkmadı. Demet heyecanla indi aşağıya. Sormadı nasıl oldu da insan içine çıkabiliyoruz diye. Sürekli sitem eden kıskanç bir kadına dönüşmüştü son zamanlarda. Annesinin dedikleri doğru olabilirdi. Nasıl da söylemişti öyle, dır dır etmeyen bir başka kadın meselesini. Hem çok şeker hem çok sevimsizdi, annesi böyleydi işte. İnsanı mutlu etmeye çalışırken, bütün keyfini kaçırmayı başarırdı.

– Rujun bozulmasın, dedi Bora, yanağından öptü Demet'i.

Gittikleri restoran Demet'in yılda bir iki kez gitme fırsatı bulabildiği en sevdiği yerlerden biriydi. Pahalı, olağanüstü yemekleri olan çok hoş bir yer.

Garson Bora'yı saygılı bir samimiyetle karşıladı. Bora da, garsonlar tarafından tanınıp saygı gören her erkek gibi keyifli bir gururla ilerledi masalarına doğru.

Demet'in yüreği pır pır ediyordu. Bu geceye ilişkin hiçbir hayal kurmuyor, yine de tuhaf bir heyecan duyuyor, belirsiz bir ümit besliyordu içinde. Ama yüreğinde filizlenen ümidi asla fark edemezdi, çünkü teslim olmuş durumdaydı, gelecekteki yaşamına dair umutlarını içine gömmüş, isteklerini yaşadığı öyküye uydurmuştu. Evliliğin önemli olmadığına, çocuk istemediğine inandırmıştı kendini. O nedenle kendi ümitlerinin ayırtına varması olanaksızdı işte.

Bora işinden söz etti biraz. Bir süredir ihmal ettiğini, ama artık yine eskisi gibi toparladığını anlattı. Demet neşeyle başını salladı:

– Ben de hissediyorum çok iyi şeyler olacak... "Demet Kaynar'la Öğleüzeri" diye benim de bir haber saatim olacak, dedi. Sonra Selin'in söylediklerini anımsadı. Biliyor musun benim de hayranlarım var, sesimin çok yumuşak olduğunu söylüyorlar, geçen gün Güler'in yanında çok tatlı bir kızla tanıştım, mesela o beni çok farklı buluyormuş, dedi.

– Elbette farklısın, bambaşkasın, ben de senin bir hayranınım, makyaj odasında karşılaştığımız o günü hiç unutmuyorum, dedi Bora.

– Acaba karşılaşmasaydık bugün ne durumda olurduk, bunu hiç düşündün mü?

– Eskisi gibi heyecansız, miskin, gözümüzün ışığı kaçmış, gölge gibi dolaşıyor olurduk. Hayatın anlamını bulmuş gibi değil miyiz sence? dedi Bora.

"Hayatın anlamı yıpratıyormuş insanı" diye düşündü Demet.

– Evet, canlandık, yüzümüze renk, gözümüze ışık geldi, dedi.

– İyi ki varsın Demet, iyi ki seni tanıdım.

– Ben de çok mutluyum seni tanıdığım için, dedi Demet.

Bora elini cebine soktu, minik, şık bir kutu çıkardı, Demet'in tabağının yanına koydu.

Demet heyecanla Bora'ya baktı. Yoksa bu bir karar anı mıydı?

Bora sonunda karar vermiş, Demet'e bir yüzük mü armağan ediyordu. Belki de bir alyans... Belki de dün geceki konuşma onun karar vermesini sağladı...

– Teşekkür ederim ama durup dururken bu ne? dedi duyulmayacak kadar kısık bir sesle. Yüzü pembeleşmişti. .

– İçimden geldi, dedi Bora.

Kutuyu açtı... İçinde minicik inci küpeler vardı.

Demet sevinememiş, kendinden utanmıştı. Hem de çok utanmıştı. Şapşal kızlar gibi, kutunun içinden alyans çıkacak sanmıştı. İyi ki böyle sandığını belli eden birkaç söz söylememişti. İyi ki. Rezil olacaktı o zaman. Oysa Bora onun yüzünün kızardığını görmüş, içinden geçenleri anlamıştı.

– Çok, çok güzel Bora, çok naziksin, teşekkür ederim, dedi. Alyans düşündüğü için utanmıştı, ama bunu hiç belli etmediği için sevinmişti şimdi.

İkisinin de başı dönüyordu. Bora o kadar heyecanlıydı ki, ilk kez alkolden etkilenmiş, ilk kez konuşması peltekleşmişti.

Garson, Demet çok sevdiği için, ona sormadan ısmarladığı tiramisuyu getirdiğinde, Bora tatlıya baktı uzun uzun. Tabağı aldı, kokladı... Tam ortasından öptü. Dudakları ve burnu kakao tozuna bulanmıştı, komik görünüyordu. Demet gülmeye başladı. Bora, hafif peltekleşmiş sesiyle:

– Bunu sen de yap, kendi tadını duy, kendi tadını al, bu tatlı tıpkı senin gibi Demet. Mis gibi kokuyor, yumuşacık, ılık, heyecan verici, keyifli... Öp şunu Demet, kendini hisset, dedi. Tabağı kaldırdı, Demet'e doğru uzattı. Hatırım için öp şunu Demet, kendini öpme fırsatını bul bir kez, dedi.

Demet gülüyordu, şaşkındı, Bora bunları sarhoş olduğu için yapıyordu, ama çok tatlıydı. Hafifçe eğildi tabağa doğru. Bora tabağı onun yüzüne doğru itti, tatlı Demet'in dudaklarına, burnuna değdi. Demet tatlıyı öptü.

– Aldın mı o benim duyduğum lezzeti? dedi Bora.

Demet peçeteyle Bora'nın yüzüne bulaşmış kakaoları sildi. Sonra kendi yüzünü silmeye başladı. Bora peçeteyi Demet'in alnında gezdirdi...

– Çok güzelsin, dedi.

Bora hesabı istedi, Demet küpeleri kulağına taktı.

Kapıya doğru yürürlerken, elini tuttu Bora Demet'in. Demet aşkı olağanca ağırlığıyla yine içinde hissediyordu. Bu aşk yoğun, sıcak, kıpır kıpır, düştüğü yere bulaşan, kuruyup kazınması imkânsız hale gelen, kırmızı tuhaf bir jöle gibiydi. Kalbini kaplamıştı bu kırmızı jöle, kuruyacaktı, öyle yapışıp kalacaktı yüreğine...

– Kırmızı bir jöle gibi, kıvrak, titrek ağırlığını duyuyorum, dedi.

– Ne jölesi? dedi Bora.

Kapıya gidene dek masadakiler, sonra kapıdaki görevliler, park yerindekiler Demet'e bakıyor, gülümsüyorlardı.

"Beni tanıyorlar, beğeniyorlar" diye düşündü Demet. Bora'nın yanındayken böyle kendisine bakılması, beğenilmesi ona tatlı bir gurur duygusu veriyordu. Bora bu bakışların farkında mı diye arada ona yan gözle bakıyordu.

Eve geldiklerinde Demet anahtarlarını, çantasını holdeki sehpanın üzerine koydu, aynaya baktı şöyle bir. Sonra bir daha baktı hayretle. Yüzü kapkara olmuştu. Ağzının kenarları, burnunun ucu, alnı kakao tozuyla kaplanmış, silerken çıkmamış, aksine alnından yanaklarına doğru siyah bir hat halinde yayılmıştı. Demet ağzı açık öyle kendine bakıyordu. Elini yanağına götürüp silmeye çalıştı, kakao tozu iyice yayıldı suratına.

Demek o bakanlar, o gülenler... Beni beğendikleri için değil... Yüzümün bu hali içinmiş. Benimle alay ediyorlarmış... Nasıl olur böyle bir şey, nasıl yapar Bora bunu. Nasıl nasıl yapar. Bundan ne tür bir keyif duyabilir? Aynada, kendi yüzünün hemen yanında Bora'nın gülen yüzünü gördü. Ne yapacağını bilemeden, ama şiddet duygularıyla hızla döndü... Ona vurmak, onu parçalamak, lime lime etmek istiyordu. İlk kez, "Bitti bu iş" diye düşündü. Elini kaldırdı, Bora bileğinden yakaladı. Demet diziyle Bora'nın baldırına vurdu. Bora Demet'in iki kolunu tuttu.

– Seni, kendi ılık tozuna buladım. Böyle bile ne kadar güzel olduğunu görmeni istedim, dedi. Demet kurtulmak istedi:

– Bırak beni, iğrençsin...

Bora Demet'in bilekle· ini tutuyordu, vücuduyla onu iterek duvara yasladı, yüzündeki kakaoları yalamaya başladı. Alnını, burnunu, yanaklarını yalıyor, öpüyordu. Dudaklarını yalamaya başladı. Ağzının içine aldı dudaklarını, dilini uzattı ağzının içine.

– Kendi tadına bak, ne kadar lezzetlisin... Lezzetlisin... Çok tatlısın, dedi.

Demet ağlıyordu... Ağlıyor ve Bora'yı öpüyordu.

Bora Demet'in giysilerini çıkarttı. Siyah dantel çamaşırları çıkartmadan her yerini öptü öptü... Onu kucağına alıp yatağa götürdü.

Yüzükoyun yatırdı Demet'i... Ensesini ısırdı...

– Seni hep böyle yanımda, ağzımda taşımak istiyorum kediler gibi, dedi.

Demet Bora'yı yüzüstü yatırdı, üzerine oturdu, ensesini ısırdı, Bora bağırdı.

– Ben de seni hep böyle yanımda taşımak istiyorum kediler gibi, dedi.

O gece Bora ne yaptıysa, Demet de aynısını yaptı. Bora neresine dokunup neresini öptüyse, Demet de yaptı... Bora keyifle kendisini bırakmıştı bu oyuna...

– Ama şimdi senin yapamayacağın bir şey var, dedi Bora.

– Tamam sen kazandın, hadi, dedi Demet.

– Seni seviyorum, seni çok seviyorum Demet... Vücutları sıcacık, ıslak birbirine karıştı. Gözyaşları da...

Demet öğlene doğru uyandı, keyifle gerindi yatağında. Bora kalkmış duş yapıyordu.

Havluya sarınmıştı odaya girdiğinde.

– Günaydın sevgilim, dedi Demet.

– Günaydın, dedi Bora. Giyinmeye başladı.

– Kahvaltı etmeyecek misin?

– Hemen gidiyorum, dedi Bora... Yüzü asıktı.

– Neyin var?

– Bir karar verdim Demet... Annenle konuştuktan sonra bir karar verdim. Önümde pek çok pencere açıldı. Her biri mantıklı, ama saçma sapan pencereler... Doğru olan evime dönmem. O çocuğun yüzü gözümün önünden gitmiyor. Onun ne suçu var ki? Ben gidiyorum, dedi.

Demet yatakta oturuyordu. Kötü bir düş görüyor sanıyordu. Dün yaşadıkları aşk gecesinden sonra böyle bir sabah. Nasıl yapabilirler bunu? Nasıl öyle sevişebilirler ve nasıl böyle terk edebilirler bir uykuluk zamandan sonra? Erkekler canavar mıydı? Bora bir canavar mıydı? Aniden yüzündeki maskeyi çıkarıp, uzaydan gelen vıcık vıcık pis bir canavara mı dönüşecekti?

- Şaka ediyorsun değil mi? dedi.

– Şaka etmiyorum. Hoşça kal, dedi ve gitti.

Demet o gün yataktan çıkmadı...

54

Yiğitsin sen yiğit

Demet-Bora-Sinan-Selin

Demet'in annesi, yaptığı konuşmadan sonra Bora'nın, kızını terk etmesinden hiç suçluluk duymadı. Tuhaf bir içgüdüyle hissediyordu olacakları baştan beri. Daha ilk günden itibaren kızının âşık ama mutsuz olduğunu görüyor, bunun için çok üzülse de ona akıl vermekte âciz kalıyordu. Aklı Bora'ya vermişti. O da kullanmıştı işte.

Demet'i ertesi gün televizyondan aradılar. Müdür onunla görüşmek istiyordu. Demet'in ise yataktan çıkacak hali yoktu. Annesinin zoruyla kalktı, bir blucin, bir kazak giyip gitti. Müdür ona müjdeyi verdi, "Demet Kaynar'la Geceyarısı Haberleri"ni sunacaktı. Sevinemedi bile.

– İyi misin? dedi müdür.

– Başım ağrıyor, dedi Demet.

Bir an önce odasına gitmek, yatağın içine girip yorganı başına kadar çekmek istiyordu. Kimseyi görmek, konuşmak istemiyor, herkesten nefret ediyordu.

Annesi onun depresyona girdiğini anladı ve psikiyatra yollamak istedi. Demet buna direndi:

– Ne söyleyecek ki bana, en akıllısı en fazla senin gibi konuşur, aklın ne işe yaradığını gördük, bir de akıllı değilse. Zarar verir...

Aradan günler geçip yalnızca haberleri okumak için dışarı çıktığında, bu kez kendisi karar verdi doktora gitmeye. Doktorunu sevdi, kendini ona teslim etti. İlaçlarını hiç aksatmadan alıyor, bütün gün uyuyup akşam haberlerini okuyordu.

Bora'dan ilk mesaj ayrıldıklarının onuncu günü, Demet'in Sinan'la buluştuğu akşam geldi. "Seni deliler gibi özledim" yazıyordu mesajda. Demet uzun uzun baktı telefondaki yazılara. Sildi mesajı. Sinan, "Kimden?" diye sormadı. Demet'in yaşadıklarına dair bir şeyler hissediyor, ama hiçbir şey sormuyordu. Bilmek istemiyordu. İşte yine onun yanındaydı ve o ne isterse yapacaktı. Demet ise hiçbir şey yapmak istemiyordu. Sinan'ın bu suskunluğu ve sakinliği ona huzur veriyordu yalnızca.

Ertesi gün Demet Bora'dan bir e-mail aldı.

"Seni çok özledim, dayanamıyorum, evde duramıyorum, hastayım, dün kapına geldim, pencerene baktım, camda birini gördüm, Sinan'a mı döndün, buna dayanamam, sana birinin dokunmasına dayanamam, lütfen konuş benimle ne olur" yazıyordu.

Demet de ona bir cevap yazdı; "Yiğitsin sen yiğit... Bir yiğitlik yaptın, kararını verdin, erkekçe evine döndün, şimdi dayan... Ben asla istemediği evliliğini sürdüren, karısına yalanlar söyleyerek dışarı çıkan güçsüz ve yalancı bir erkeğin gizli saklı sevgilisi olmayacağım, asla..."

Bu yazışmalar bir hafta boyunca sürdü... Bora; "Sen bir korkaksın... Ben seni başka bir kadın için terk etmedim, iki tane çocuk için gittim. Yakında bir bebeğimiz daha olacak. Bunu ben istemedim, ama olacak, onları nasıl bırakabilirdim. Eğer gerçekten âşıksan, bunu yaşarsın ama yapamıyorsun, sen bir korkaksın" diye yazdı.

Bir bebekleri olacak... Demet bunu okuduğunda, bir an, "Şu ilaçların hepsini yutsam, uyusam uyusam, uyandığımda bütün bunları unutsam, hiçbir şey olmamış gibi yaşasam" diye düşündü. Bora onu hiçbir sorumluluk duymadan hançerlemeye devam ediyordu.

Bilgisayarın başında, eli tuşların üzerinde oturdu kıpırdamadan. Hiç durmadan ağlıyordu. Saatler sonra; "Evet kötü olan benim, korkak olan da... Âşık olmayan da benim. Sen, cesur, âşık, güçlü bir erkek olarak kararının arkasında dur ve bir daha sakın beni arama" yazdı.

Bora hemen her akşam Demet'in kapısının önüne gelmeyi sürdürdü, delirmiş gibiydi, evinden ayrılamaz, ama Demetsiz de yaşayamazdı. Bir kez onları Sinan'la dışarı çıkarken gördü. Demet zayıflamıştı, çok güzeldi ve onu fark bile etmedi.

Sinan kendisini Demet'e adamıştı. Böylesine mutsuz, böylesine hasta olmasına dayanamıyor, onu neşelendirmek için elinden geleni yapıyordu. Elinden de beklemekten başka bir şey gelmiyordu. Demet bütün gün evin içinde sessizce dolaşırken, o da gazete okuyup televizyon izliyordu. Sevdiği kadının ona dokunmaması, dokundurtmaması çok ağır geliyordu Sinan'a, gururu kırılıyordu, ama dayanacaktı.

O küçük kızla dayanamamış, birkaç kez buluşmuştu. Öyle tatlı tatlı ısrar etmişti ki buluşmaları için, dayanamamıştı, kızın evine gitmişlerdi. Kız, bütün doğallığıyla kendini ona bırakıyor, vücuduyla, beyniyle, yüreğiyle Sinan'ı mutlu etmeye uğraşıyordu. Sanki gökyüzünden yollanmış bir melekti. Son buluşmalarında, "Hani âşık olunca bir başka erkekle sevişmezdin?" diye sordu Sinan.

Kız ona baktı, "Evet âşığım ve başka bir erkekle sevişmiyorum, ama sen de âşıksın biliyorum, ilişkimizde hiç yalan yok" dedi. Sinan anladı ve üzüldü, ama yapacağı bir şey yoktu, zaten bu ilişkide yalan yoktu, bir sorumluluk duymuyordu küçük kıza karşı, mutsuzluğuma bir de küçük kızın derdi eklenmesin diyordu.

Demet, Sinan'ın kendisine dokunmasına izin verdiği gün, Sinan o küçük kızı terk edecekti. O kızla sevişmesi sadece, nedensiz yere, kendisinden uzaklaşmasından ötürü Demet'e verdiği küçük bir cezaydı... Kızı terk etmesi ise, Demet'e vereceği bir armağan olacaktı.

Selin süslenip duruyordu. Günün her saatinde makyajlı ve şıktı. Sakinleştirici bir ilaç kullanamadığı için kendisini böyle rahatlatıyordu. Bebek doğduktan sonra gidip burnundan, yanaklarından, memelerinden, kalçalarından ameliyat olacaktı. Çok güzel bir kadın olmaya karar vermişti. Müşterisi Alp Bey, ona çok güzel olduğunu söylemişti bir kez ama, bu erkekler böyleydi, başlangıçta iltifatlar eder, sonra unuturlardı hepsini.

"Boş versenize siz, burnumun ucunu görmüyorsunuz" demişti adama.

Bir akşam bankadan çıkarken, güvenlik görevlisiyle göz göze geldi, ince, uzun boylu, esmer, mavi gözlü bir genç adamdı. Adam

Selin'e gülümsedi, saygıyla "Güle güle Selin Hanım" dedi. Adını bildiğine şaşırmıştı. "Ne kadar yakışıklıymış" diye düşündü. Yıllardır ilk kez bir erkeğin yakışıklı olduğunu görüyordu. Sonra "Acaba nasıl seks yapıyordur?" diye geçti içinden. Telaşla bu düşünceyi kafasından kovmaya uğraştı. Düşünce ısrarlıydı, gitmedi. "Acaba bu adamlar nasıl seks yapıyordur?.. O yakışıklı garsonlar, şoförler, mağazalardaki satıcılar, şu kestaneci, eve gelen buzdolabı tamircisi... Nasıl yapıyorlardır? Şefkatli mi, hoyrat mı, bencil mi, kadını düşünürler mi, beklerler mi? Yoksa hepsi de cahil ve kaba mı? Kadına ve cinselliğe kafa yoruyorlar mıdır?

Bir banka müdürü, güvenlik görevlisiyle seks yapsa ya da bir ressam kadın bindiği taksinin şoförüyle ya da bir doktor eve gelen tamirciyle... Ne olurdu sanki seks ayıp olmasa, herkes istediği herkesle sevişebilse...

Bora ona hiç dokunmuyordu. Eve dönmüştü, ama yine her gece çıkıyor, sarhoş oluyor, geç vakit dönüp sızıyordu yanında. Evde kaldığı günlerde ise yalnızca Murat Can'la ilgileniyor, Selin yokmuş gibi davranıyordu. "Bekle" demişti annesi, "burnunu sürttü döndü işte, bekle, kocan o senin." Bekliyordu Selin de... Bora yatağa yattığı an bütün bedeni geriliyor, bekliyor bekliyor... Sonra da yatağın bir ucuna çekilip sessizce ağlamaya başlıyordu.

"Bebeği doğurmaktan vazgeçeyim, burnumu düzelttireyim, güvenlik görevlisiyle sevişeyim" diye düşündü bir gece ağlarken... Sonra kendini küçümsedi, kızdı, utandı... Daha sonra beynine uçuşan düşüncelerden kurtulamayacağını anlayınca güldü kendi kendine. Nedenini bilmiyordu, ama geliyorlardı işte. Eyleme dökülmemiş düşünceler ise ne olursa olsun suç değildi. Omuz silkti yatağın içinde, "Benden izinsizce gelip giden komik düşüncelerimden utanmam gerekmiyor, ben bir düşünce suçlusu değilim, düşünce suç değil zaten" dedi kendi kendine... Kendi kendine... Rüyasında güvenlik görevlisini görmeye karar verdi. Rüyalar da suç değildi.

55

Hangisi hata?

Güler

Yaralandılar, hırpalandılar... Kurtulmak için bir suçlu aradılar, bulamadılar. Kendilerini suçlamaya karar verdiler, hasta oldular. Onlara hiçbir suçları olmadığını anlatabilmek için çok uğraştım. "Annem yüzünden katı bir insan oldum. Sevgimi, ilgimi pek belli edemedim kimseye. Bora'ya bile. Hele Murat Can doğduktan sonra kendimi ona adadım. Kocamı iyice ihmal ettim" diyordu Selin.

"Evli olduğunu öğrendiğim andan itibaren ilişkiyi kesmem gerekirdi. Oysa ben ayrılacağını umdum, bekledim, pek çok şeyden vazgeçtim, üstelik sonunda terk edildim. Böyle bir ilişkiye nasıl razı oldum" diyordu Demet.

Ona Selin'in Bora'nın karısı olduğunu söyledim... Sessizce oturdu karşımda. Sonra gözlerinden yaşlar süzülürken, "Bunu öğrendiğim iyi oldu, görmeden, bilmeden bir şeyleri yaşamak ve katlanmak çok kolay, ama bilirsen, çok zor, imkânsız" dedi. Selin'i tanıyıp hoşlanmış olması onu sarsmıştı, kendisinin bile beğendiği güzel, sevimli bir kadın için Bora'ya sitem etmesi şimdi ona çok acı geliyordu. Gururu incinmişti.

Ama bunu öğrenmesi eminim ki unutmasında işine yarayacaktı. Selin'e Demet'ten söz etmemin gereği yoktu. Çünkü kocasının hayatında bir başka kadının varlığını öğrenmesi, acılarına acı katmaktan başka bir işe yaramayacaktı.

Uzun süre onlara yaptıklarının bir hata, bir suç olmadığını anlatmak için uğraştım. Umarım yararlı olmuşumdur.

Biliyorum, zaman, yavaş yavaş iyileştirecek onları.

Bir tek soru takıldı aklıma bu yaşananlardan sonra. Ne çekilen acıları ne yaralanmaları önemsiyorum, akıllı insanın bunların üstesinden geleceğine eminim. Ama bütün bu olanlardan sonra bir tek soru var aklıma takılan...

Canın çok istediğinde, rüzgâra kapılıp dolu dizgin gitmek mi gerek, yoksa hesaplarla, sorunlarla boğuşup ürkerek kalmak mı durduğun yerde?

Doludizgin gitmek mi arzularının arkasından, yoksa kalmak mı her zamanki yerinde? Hangisi hata? Yoksa hata yok mu hiçbirinde?

Bunu Çetin'le tartıştık geçen akşam. O, karısının akıntıya kapılıp gitmesinden öylesine acı duymuştu ki, mantıklı olmayı savunuyordu. "Geride bıraktıklarının çektiği acıya değer mi yaşadığın üç beş günlük keyifler" diyordu.

"Keyfin üç beş gün olacağını nasıl bilebilirsin?" diye sordum ona.

"Aşk aldatıcı bir duygudur. İhtiyaçtan doğar ve sanaldır. Mantığı yoktur, o yüzden verdiği keyifler geçicidir. Aşkın grafiği sürekli yukarılara çıkmaz. O kadar yanıltıcıdır ki, zorluklarla beslenir, zorluklar çekip gittikten sonra, kavuşur kavuşmaz aşk biter. Kişiler bir süre daha kendilerini kandırmayı sürdürürler, aşkın delik deşik olduğunu anladıklarındaysa, yumruk yemiş gibi olurlar, mutsuzluk böyle başlar" dedi.

"O yoğun duyguları, çıldırtıcı keyfi kaç gün olursa olsun yaşamaya değmez mi? Başka hangi duygu bu kadar büyük bir keyfi yaşatıyor insana? Yaşam önümüzde çizilmiş düz bir çizgi mi? Çizilenlere uymak zorunda mıyız sıkılsak da? Yaşadığımız anlardan başka sahip olabildiğimiz neyimiz var?" diye sordum ona.

"Sahip olduğumuz bir iç huzurumuz, güvenliğimiz, üzmememiz gereken sevdiklerimiz var. Sorumluluk denilen çok önemli bir kavram var" dedi.

"Sevdiğimiz kişiler, biz nerede ve nasıl mutlu oluyorsak buna razı olmalı kendi üzüntüleri pahasına, gerçek sevgi budur. Sorumluluk ise, kendini feda noktasına gelmemeli. Kendimize karşı sorumluluğumuz değil midir bizi özgür kılan? Bize sorumluluklar yükleyerek özverili olmamızı bekleyenler, özveriye bir de sınır çekmelilerdi" dedim.

"Aşk kalıcı değildir Güler. Aşk biter" dedi Çetin. Sonra uzun süre düşündü, "Ama şu da var ki tüm zorluklara karşın, aşk için çekip gidenler de güçlü kişilerdir... Hem güçlü hem bencil."

"Bencillik fena bir şey değildir, başkalarını üzmemek için kendini üzüyorsun, o başkaları da sıkıntılarını nasıl olsa unutacaklar belki de daha doğru bir hayata koşacaklar" dedim ben de.

"Senden hoşlanıyorum ben" dedi Çetin. "Çılgınca değil, mantıklı bir duygu bu, üstelik senin için feda edebileceğim bir şeyim de yok. Değersiz bir ilgi mi bu sence? Senin de benim için feda edeceğin bir şey yok. Sen de benden hoşlanıyorsan, tekdüze ve kötü bir ilişki mi olur bizimki" dedi. Biraz mahcup ve çabuk çabuk konuşuyordu. Heyecanlanmıştı, gülümsemeye çalışıyordu.

"Ben de senden hoşlanıyorum, ama sandığının aksine senin için feda edebileceğim bir şeyler var ve edeceğim" dedim ona.

Akşam, aynaya baktım uzun uzun. Dürüst, güzel gözler gördüm bana bakan. Onu sevgiyle, saygıyla selamladım. Ben gidiyordum... Doludizgin mi bilemem, ama gidiyordum bir şeylere doğru. Şimdiye dek yaşadıklarımdan ötürü pişmanlık duymuyordum, bundan sonra da pişman olmayacağımı biliyordum. Selin ile Demet'in yaşadıklarından, daha doğrusu yaşayamadıklarından çok şey öğrenmiştim. En azından karar verebilmeyi, yani korkmamayı. Hazırdım artık yeni bir yaşama... "Bir tanecik hayatımız var Güler, bir tanecik" dedim.

Herkesin senaryosu

Güler-Selin-Demet-Sinan-Bora

İnsan düşler kurmaz mı kendi hayatına dair? Bir karşılaşma anı kadar kısa bile olsa, senaryolar hazırlamaz mı? Hatta var olan kişiliğine uymayan fanteziler yaratmaz mı? Hazırlanan senaryo gerçeğe uymayınca mutsuz olmak gibi bir aptallığa kaptırmazlarsa kendilerini, kime zarar verebilir bu düzmece anlar? Güler'in senaryosunun bir kurgusu yok, yalnızca bundan sonra nasıl yaşayacağının ayırtına vardı o.

Kendini anormal ya da hasta bulmasa da, bugüne dek yaşadıkları ona çok olağan, çok doğal gelse de, şimdi bir iyileşme seziyor içinde. Bundan böyle iyi olacağını sezmesi ise, bugüne dek yaşadıklarının pek de normal olmadığını işaret ediyor. Ölmüş bir insanı yaşıyormuş varsayarak yaşamak... Dışarıdan bakınca pek doğru algılanamayabilir... Oysa mutluydu o, en azından mutsuz olduğunun farkına varmamayı becerebiliyordu. Hiç pişman değil yaşadıklarından, yalnızca apaçık gördü kendi gerçeğini. Güler, kendi yaşamı için ayrıntılı bir senaryo yazmak istemiyor, "Kadın, plan yapmadan, gidebildiği yere kadar gidecek, yine hiç pişmanlık duymadan" diyor yeni öyküsüne başlarken.

Selin, evlilik yaşamındaki olumsuzlukları halının altına süpürerek, sorgulamadan yaşadığının farkında. Annesinin ona çizdiği, soğukkanlı, ağırbaşlı evli kadın ve anne tiplemesinde kendisini çok zorladığını, kendi gerçek kişiliğinin dışına çıktığını biliyor. "Bora'ya bir sevgili gibi davranmadım" diyor. Kendi öyküsünün sonunu şöyle bitiriyor yaşam senaryosunda; "Kadının kocası eve döner, eskisinden çok daha fazla âşık olmuştur karısına. Ancak kadın incinmiş, gururu kırılmıştır, kocasının hayatında bir başka kadın olduğundan kuşkulanmaktadır. Üzerindeki prenses kadın kabuğundan sıyrılır. Çılgınca bir yaşama koşmak istemektedir. Dişiliğiyle, her karşılaştığı erkeğin başını döndüren, beğendiği erkeklerle unutulmaz sevişmeler yaşadıktan sonra, onları terk edip acılara boğan bir örümcek kadın olur. Önce müşterisiyle, sonra yakışıklı güvenlik görevlisiyle sevişir. Öylesine mükemmeldir ki her iki erkek de çılgına döner. Yaptıklarını kocasına anlatır. Koca bunları duyduğunda perişan olmuş, saatlerce gözyaşı dökmüştür, ama çılgınca âşık olduğundan karısını terk edemez. Kadın akşamları eve döndüğünde, kocasını erkenden eve gelmiş, çocuklarıyla oynarken bulur. Onun yüzündeki acı, kadına mutluluk vermektedir."

Demet aşksız, huzur dolu bir yaşamın insana yeterli olabileceğine inandığı için kendini suçluyor. Bugüne dek yaşadığı tekdüzeliğe katlanıp sorgulamadığından başına bunların geldiğine inanıyor. Böylesi bir heyecandan sonra, artık o eski rutine dönemeyeceğini biliyor. Sinan'ın dostluğundan vazgeçmek istemiyor; ama onunla sevgili olamayacaklarını da hissediyor. Demet'in senaryosunda öyküsünün sonu şöyle bitiyor; "Kadının sevgilisi evinde mutlu olamaz, kadının aşkıyla yanıp tutuşur ve bir süre sonra evi terk ederek onun yanına koşar. Ancak kadın yaralanmıştır, onca üzüntünün sonunda, hiç beklemediği bir anda terk edilişi gururunu kırmıştır. Adamla eskisi gibi coşkuyla birlikte olacağını sansa da bunu başaramaz. Yaralanmış bir ilişkinin hasarlarını onarmak mümkün değildir. Adam ona deli gibi âşıktır, ama kadın geçmiş günlerdeki tutkuyu yakalayamaz, çünkü erkeğin ona yaşattığı acıyı unutamamıştır. Bir yıl sonra kadın, doğru adamı bulur, sevgilisini terk eder ve yeni adamla evlenir, bir çocuğu olur. Onunla hiç bitmeyen bir aşkı yakalar. Sevgilisi ise âşık ama tek başına kalmıştır ortada."

Sinan, bu yaşadıklarının sonunda birlikte olduğu kadına nasıl davranması gerektiğini öğreniyor, ama biraz geç kaldığının farkında. Demet'e ve ilişkisine hiç özen göstermediğini artık biliyor. Öyküsü kendi yazdığı senaryoda şöyle bitiyor: "Adamın sevgilisi geçirdiği bunalımdan kurtulmuştur. Eskisinden çok daha büyük

bir sevgiyle geri döner. Adamı üzdüğü için pişmanlık duymakta-
dır. Bu nedenle ona aşırı bir ilgi ve sevgi gösterir. Sevgi dolu, uy-
sal, bambaşka bir kadın olmuştur. Adam da kadını ne denli çok
sevdiğini anlamıştır. Bundan böyle hayatında bir başka kadına
yer yoktur. Küçük kız umurunda bile değildir, o kadar gençtir ki
o, nasıl olsa hemen unutur. O artık, sevgilisinin isteklerinin far-
kındadır ve önemsiyordur. Evlenirler, bir çocukları olur, ömür
boyu çok mutlu yaşarlar. Bu süre içinde adam işinde ilerlemiş,
çok zengin olmuştur. Kadını kraliçeler gibi yaşatır."

Bora çelişkileriyle, kararsızlıklarıyla, evi ve sevgilisi arasında
gidip gelmesiyle hiçbir şeyi beceremediğini, aksine pek çok kişi-
yi perişan ettiğini biliyor ve bunun bedelini ağır ödüyor. Selin'e
yaptıklarından dolayı bir vicdan azabı duymuyor, Demet'i ise çok
anlayışsız buluyor. "Eğer sabredebilselerdi ben bu meseleyi çö-
zerdim" diye düşünüyor. Çözümsüzlüğün nedenini sabırsız iki ka-
dının kıskacı altında oluşuna yoruyor. Bora'nın yazdığı senaryo
onu mutlu ediyor: "Adam ne sevgilisinden ne de evindeki yaşam-
dan, yani çocuklarından vazgeçebilir. Çocuklarına olan düşkün-
lüğü çok büyük boyuttadır. Onlarsız yaşayamaz, asla onları baba-
sız bir yaşama terk edemez. Sevgilisi bunu anlayışla karşılar.
Çünkü o çok akıllı bir kadındır. Karısı bu durumu öğrendiğinde
üzülür, ama çabuk atlatır. Her erkeğin böyle bir şey yaşayacağını
bilmektedir. Hem çocuklarının ruh sağlığı hem de yıllardır bera-
ber oluşlarının getirdiği dostlukla, bu durumu anlar. Evlerindeki
alışık oldukları yaşamı sürdürürler. Sevgilisiyle de her istedikleri
zaman özgürce buluşarak, o heyecanlı, tutkulu yaşamdan kop-
mazlar. Ortada yalan yoktur... Herkes memnundur. Mutlu aile
dağılmamış, coşkulu aşk bitmemiştir."

İnsanların özel senaryoları birbirine uysaydı...